10|18
12, avenue d'Italie — Paris XIII^e

*Du même auteur*
*dans la collection 10/18*

LA CITÉ DE L'HORIZON, n° 2568
LA CITÉ DES RÊVES, n° 2663

# LA CITÉ DES MORTS

PAR

ANTON GILL

Traduit de l'anglais
par Corine DERBLUM

10|18

INÉDIT

*« Grands Détectives »*
*dirigé par Jean-Claude Zylberstein*

Si vous désirez être régulièrement tenu au courant
de nos publications, écrivez-nous :
Éditions 10/18
12, avenue d'Italie
75627 Paris Cedex 13

Titre original :
*City of the Dead*


ISBN 2-264-02370-8

Pour Joe Steeples

## NOTE DE L'AUTEUR

Si le contexte historique du récit qui va suivre est dans l'ensemble exact, la plupart des personnages sont fictifs. On possède nombre de connaissances sur l'Égypte ancienne car ses habitants avaient atteint un haut degré de civilisation, ils possédaient l'écriture et avaient la perception de l'Histoire. Néanmoins, selon les spécialistes, au long des deux siècles écoulés depuis les débuts de l'égyptologie, un quart seulement de ce qui est à connaître a été découvert et certaines dates, certains faits sont encore l'objet de maintes controverses parmi les chercheurs. C'est pourquoi je prie sincèrement les égyptologues et les puristes qui pourraient, lisant ce livre, se formaliser d'une démarche trop peu scientifique, de bien vouloir me pardonner les quelques libertés que je me suis permises à l'occasion.

# L'ÉGYPTE AU TEMPS DE HUY

Les neuf années de règne du jeune pharaon Toutankhamon (1361-1352 av. J.-C.)[1] furent une époque troublée pour l'Égypte. Elles marquaient la fin de la XVIIIe dynastie, la plus glorieuse des trente dynasties de l'Empire. Les prédécesseurs de Toutankhamon s'étaient surtout illustrés par leurs qualités de rois guerriers ; ils avaient fondé un nouvel empire tout en consolidant l'ancien. Juste avant lui, toutefois, le trône avait été occupé par un pharaon étrange, aux dons de visionnaire : Akhenaton. Celui-ci avait rejeté tous les anciens dieux pour les remplacer par un seul, Aton, qui trouvait son essence dans le soleil dispensateur de vie. Akhenaton reste le premier philosophe dont l'Histoire ait gardé la trace, et l'inventeur du monothéisme. En ses dix-sept années de règne, il provoqua un véritable bouleversement dans les modes de pensée et de gouvernement de son pays. Mais, dans le même temps, il perdit la totalité de l'Empire du Nord (la Palestine et la Syrie) et mena le royaume au bord de l'abîme,

1. Les dates concernant la fin de la XVIIIe dynastie sont sujettes à controverse entre les différentes écoles d'égyptologues. Certains situent la mort d'Akhenaton vers 1373, d'autres vers 1379, voire 1362, de même pour Toutankhamon dont certains situent la naissance en 1354, d'autres en 1361. (*N.d.É.*)

ce qui incita des ennemis puissants à s'assembler aux frontières septentrionales et orientales.

Les réformes religieuses d'Akhenaton avaient introduit le doute dans les esprits, après des générations de certitude inébranlée remontant à des temps encore plus lointains que la construction des pyramides, mille ans auparavant. Et bien que l'Empire, déjà vieux de plus de mille cinq cents ans à l'époque de ces récits, eût traversé des crises par le passé, l'Égypte connut une brève période d'obscurantisme. Akhenaton ne s'était pas fait aimer des prêtres qui administraient l'ancienne religion et qu'il avait dépossédés de leur pouvoir, ni des gens du peuple, qui voyaient en lui le profanateur de croyances séculaires, en particulier leurs convictions relatives aux défunts et à l'au-delà. Après sa mort, en 1362 av. J.-C., la nouvelle capitale qu'il s'était bâtie (*Akhet-Aton*, la « cité de l'Horizon ») ne tarda pas à tomber en ruine tandis que le pouvoir retournait à Thèbes, la capitale du Sud (au nord, le siège du gouvernement se trouvait à Memphis). Le nom d'Akhenaton fut retranché de tous les monuments, et il ne fut même plus permis de le prononcer.

Akhenaton était mort sans héritier direct. Les trois règnes qui suivirent, dont celui de Toutankhamon fut le deuxième et de loin le plus long, furent lourds d'incertitude. Pendant cette période, les pharaons eux-mêmes virent leur pouvoir jugulé par Horemheb, ancien commandant en chef des armées d'Akhenaton, désormais résolu à assouvir ses propres ambitions : restaurer l'Empire et l'ancienne religion, puis monter sur le trône. Il y parvint finalement en 1348 av. J.-C. et, dernier roi de la XVIIIe dynastie, régna vingt-huit ans, après avoir épousé la belle-sœur d'Akhenaton pour conforter ses prétentions à la couronne.

L'Égypte allait retrouver son unité sous Horemheb, et connaître son ultime apogée de gloire au début de la XIXe dynastie, sous Ramsès II. C'était de loin le pays le plus riche et le plus puissant du monde connu, abondant en or, en cuivre et en pierres précieuses. Le commerce était pratiqué tout le long du Nil, depuis la côte jusqu'à la Nubie, sur la Méditerranée (la « Grande Verte »), et sur la mer Rouge jusqu'au pays de Pount (Somalie). Mais ce n'était qu'une étroite bande de terre accrochée aux rives du Nil, cernée à l'est comme à l'ouest par des déserts, et gouvernée par trois saisons : le printemps — *shemou* —, le temps de la sécheresse, de février à mai ; l'été — *akhet* —, le temps des crues du Nil, de juin à octobre ; et l'automne — *peret* —, le temps de la végétation, quand poussaient les cultures. Les anciens Égyptiens vivaient plus près que nous du rythme des saisons. Ils croyaient par ailleurs que le cœur était le siège de la pensée.

La décennie dans laquelle s'inscrivent ces récits, période infime comparée aux trois mille ans d'histoire de l'Égypte pharaonique, fut néanmoins cruciale pour le pays. Celui-ci prenait conscience du monde qui s'étendait par-delà ses frontières, et de la possibilité qu'un jour lui aussi soit conquis et s'éteigne. Ce fut un temps d'incertitude, de remise en question, d'intrigues et de violence — un miroir lointain où nous entrevoyons notre propre reflet.

Les anciens Égyptiens adoraient de très nombreuses divinités. Quelques-unes étaient spécifiques à des villes ou à des localités, d'autres exercèrent un rayonnement qui s'accrut puis diminua au fil du temps. Certains dieux correspondaient à des notions similaires. Voici les plus importants d'entre eux, tels qu'ils apparaissent dans les récits :

AMON : principal dieu de Thèbes, la capitale du Sud. Représenté sous l'aspect d'un homme et associé à Rê, le dieu solaire suprême. Le bélier et l'oie lui étaient consacrés.

ANUBIS : dieu de l'embaumement, à tête de chacal.

ATON : dieu de l'énergie solaire, représenté sous l'aspect d'un disque dont les rayons s'achèvent dans des mains protectrices.

BÈS : dieu nain à tête de lion. Protecteur du foyer, et des femmes pendant leur accouchement.

GEB : dieu de la terre, représenté sous l'apparence d'un homme.

HAPY : dieu Nil.

HATHOR : déesse de l'amour, de la musique et de la danse. Souvent représentée sous l'apparence d'une vache, ou d'une femme coiffée de cornes et du disque solaire. Elle était aussi la nourrice et la protectrice du roi.

HORUS : dieu à tête de faucon, fils d'Osiris et d'Isis et donc membre de la plus importante triade de la théologie égyptienne.

ISIS : mère divine.

KHONSOU : dieu lunaire, fils d'Amon.

MAÂT : déesse de la vérité.

MIN : dieu de la fertilité sexuelle.

MOUT : épouse d'Amon, à l'origine déesse à tête de vautour, celui-ci étant l'animal emblématique de la Haute-Égypte (sud). La Basse-Égypte (nord) était représentée par le cobra.

NEKHBET : déesse-vautour, protectrice de la Haute-Égypte.

NEPHTYS : de même que sa sœur Isis, protectrice des momies.

NOUT : déesse du ciel, sœur et épouse de Geb.

OSIRIS : dieu du monde souterrain. La vie après la mort occupait une place fondamentale dans la pensée des anciens Égyptiens.

RÊ : grand dieu du soleil.

RÉNOUTET : déesse des moissons.

SETH : dieu de l'orage et de la violence ; frère et meurtrier d'Osiris. Équivalent très approximatif de Satan.

SOBEK : dieu-crocodile.

THOT : dieu à tête d'ibis. Le babouin lui était associé.

THOUËRIS : déesse protectrice de la naissance et des enfants.

Principaux personnages de *La Cité des morts*
(par ordre d'apparition)

Les personnages imaginaires sont indiqués en capitales, les personnalités historiques en minuscules.

Toutankhamon : pharaon (1361-1352 av. J.-C.)[1].
Ay : grand-père de son épouse. Corégent.
Akhenaton : récent prédécesseur de Toutankhamon, frappé d'opprobre et désormais surnommé « le Grand Criminel ».
Horemheb : corégent avec Ay, prétendant au trône.
Ankhsenamon (Ankhsi) : Grande Épouse de Toutankhamon.
Teyi : Épouse Principale de Ay.
Nézemmout : Épouse de Horemheb.
HUY : ancien scribe.
TAHEB : propriétaire d'une flotte de navires. Veuve et héritière d'Amotjou, l'ami de Huy.
KENAMOUN : chef de la police. Ancien prêtre-administrateur.
AHMOSÉ : courtisan.
NÉHÉSY : Grand Veneur.
SHÉRYBIN : conducteur de char.
INÉNY : secrétaire de Ay.
Zananza : prince hittite.
MÉRINAKHTÉ : médecin.
HORAHA : chef des médecins.
SENSÉNEB : sa fille.
HAPOU : leur intendant.
AAHÉTEP : épouse de Néhésy.
NOUBENÉHEM : tenancière de bordel.

1. Voir note page 11.

# 1

Le roi se mordit les lèvres. La discussion n'avait pas pris le cours qu'il désirait. Il suivit des yeux le général qui s'éloignait, dos tourné, et ressentit dans son cœur l'envie de tuer. Combien de temps encore lui faudrait-il subir le joug de ce vieillard ambitieux ?

Au début, il avait été reconnaissant à Horemheb de lui prodiguer son expérience et s'était appuyé sur lui. Mais quatre crues avaient passé depuis sa prise de pouvoir officielle et, à dix-sept ans, il n'était toujours pharaon que de nom. Au dire de ses espions, l'armée restait loyale à Horemheb, son commandant depuis l'époque du pharaon déchu Akhenaton. Il devait faire en sorte de s'y créer des allégeances. Alors il veillerait à expédier Horemheb en mission diplomatique dans quelque province reculée. S'il caressait l'idée d'un assassinat, il savait néanmoins que le jour où il se sentirait assez sûr de lui pour en donner l'ordre était encore loin.

Puis, telle une épine dans sa chair, il y avait Ay, plus vieux encore mais tout aussi ambitieux. Les deux hommes, qui avant sa majorité avaient formé une alliance précaire le temps de la corégence, ne visaient qu'à une chose : coiffer le pschent. Aussi mettait-il un point d'honneur à arborer la double couronne rouge et blanc de la Terre Noire à chacune de ses réunions avec ses deux conseillers, ainsi qu'ils aimaient désormais à se faire appeler. Mais au fil des ans, le général Horemheb, des deux le plus puissant, avait convaincu le jeune monarque de lui conférer plus de titres que n'en avait portés un roturier dans toute l'histoire du pays — non, pas en un millénaire et demi et dix-huit dynasties.

Ay était lui-même d'origine roturière. Fils d'une Mitannienne dont la sœur avait eu la bonne fortune de devenir la Grande Épouse de Menkhépérourê Thoutmosis [1], grand-père d'Akhenaton, il avait fait courir le bruit — impossible à réfuter — qu'il était aussi le frère de Tiyi, la mère d'Akhenaton. Ay avait encore conforté sa position dans la maison royale en unissant sa fille Néfertiti à Akhenaton. La plus belle jeune fille qu'on eût jamais vue sur la Terre Noire était ainsi devenue la Grande Épouse du roi, et avait enfanté sept filles. La troisième d'entre celles-ci, qui avait en grande part hérité la beauté de sa mère, avait été donnée pour femme à Toutankhamon. Mais les liens familiaux que Ay avait tissés autour du jeune roi ne l'avaient pas rendu plus cher au cœur de celui-ci.

« Je suis Pharaon. Nebkhépérourê Toutankhamon. »

Il prononça son nom en lui-même pendant que le Grand Chambellan lui ôtait la lourde couronne pour la remplacer par une coiffure bleu et or, faite d'une armature légère en cuir, plaquée d'or et sertie de lapis-lazuli. Le roi huma l'odeur du cuir avec plaisir. Son nom lui rendait confiance. Il le voulait sur toutes les lèvres, toutes les colonnes, tous les pylônes, les temples et les portes de la cité. Il serait le sauveur du pays, celui qui rendrait à la Terre Noire sa gloire d'antan, après les sombres années d'échec et de doute qui avaient précédé son règne. Mais, songea-t-il avec

1. Ou Thoutmosis IV. (*N.d.T.*)

colère, revenant à l'idée qui le taraudait, pour figurer comme tel sur les papyrus des scribes chroniqueurs, il lui faudrait d'abord sortir de l'ombre où le confinaient ses prétendus conseillers. Et, s'il voulait balayer tous les doutes sur la légitimité de son ascendance, et donc sur sa propre légitimité au trône, il devait fonder une dynastie, il devait avoir un fils. Au cours des cinq années de mariage écoulées depuis qu'Ankhsenamon était devenue capable de procréer et qu'ils partageaient la même couche, ils n'avaient pas même réussi à donner le jour à une fille. Il ne doutait pas du pouvoir de ses reins — il avait déjà deux fils et trois filles de ses concubines. Mais leurs prétentions dynastiques n'étaient pas assez solides, et il ne s'illusionnait pas sur leurs chances de survie s'il n'était pas là pour les protéger contre Ay le fourbe et Horemheb le prédateur.

Comment deux vieillards pouvaient-ils se mettre ainsi en travers de son chemin ? Horemheb avait cinquante-cinq ans passés, Ay dix ans de plus. Pourtant ils montraient une soif de pouvoir digne d'hommes deux fois moins âgés. Cette avidité était certainement due à des années de frustration, mais leur acharnement à survivre était confirmé par le fait qu'après la chute d'Aton ils avaient non seulement conservé leur rang, mais conquis des positions clés, confortées immédiatement et sans pitié. Toutankhamon lui-même ne doutait pas qu'ils avaient provoqué le déclin et la mort de l'ancien roi, bien que la simple idée de tuer Pharaon relevât d'un blasphème à faire rugir les démons de Seth.

Il s'astreignit au calme. Pour combattre ces deux hommes, il fallait avant tout rester lucide. Il avait peu d'amis et tous de son âge, sinon plus jeunes. Aux écuries, quelques jours plus tôt, alors qu'il faisait admirer ses nouveaux chevaux de chasse d'Assyrie à un groupe de jeunes nobles, il avait eu la surprise de voir apparaître Horemheb qui, avec la feinte servilité qui lui était coutumière, avait sollicité audience. Horemheb ne s'était pas présenté seul devant son roi, mais avait eu l'arrogance d'arriver, comme toujours, flanqué par une demi-douzaine de Mézai, sa police spéciale. Toutankhamon avait eu l'impression d'être le chef d'une bande d'écoliers surpris par le fermier en train de lui voler ses dattes. Ce souvenir l'humiliait tant qu'à cet instant encore il en serrait les dents et les poings, souhaitant au général une mort violente. *Qu'on lui arrache les yeux !* Mais sitôt l'idée passée, Toutankhamon se maudit de ne pouvoir s'en tenir, ne fût-ce qu'un moment, à sa résolution de garder son sang-froid.

Claquant des doigts pour réclamer du vin, il déclara au majordome qu'il désirait être baigné et remaquillé. L'entrevue avec Horemheb l'avait contrarié, survenant aussitôt après que ses espions lui eurent livré une information inquiétante. Bien qu'incapables d'en apporter la preuve, ils avaient révélé que, si quelque coup du sort venait à frapper Pharaon, Ay tramait d'épouser Ankhsenamon.

Il savait qu'il ne s'agissait là que d'un simple plan stratégique : épouser la femme du roi défunt aurait donné du poids aux prétentions de son successeur. Ay avait déjà une Épouse Principale, Teyi, belle-mère de Néfertiti, à laquelle il était marié depuis de très longues années, et il lui paraissait dévoué. Mais la pensée que Ay pût envisager de lui survivre troublait Toutankhamon ; quant à imaginer Ankhsi contrainte de partager la couche d'un homme de cinquante ans son aîné, c'était une idée trop répugnante pour être considérée. Le roi aurait voulu avoir dix ans de plus. Alors il eût été à même de l'emporter sur ces deux crocodiles, qui étaient passés maîtres en perfidie avant que les Huit Éléments qui le formaient se fussent rassemblés dans la matrice de sa mère.

Les visées de Ay avorteraient. Le roi lui-même avait

ébauché un plan pour le neutraliser, en répandant la rumeur dans le camp de Horemheb que le vieux Maître des Écuries complotait contre le général. Mais le succès était douteux. Horemheb paraissait avoir besoin de Ay pour contrebalancer son propre pouvoir ; de même que les petits crabes nichés dans les anfractuosités des berges du Fleuve possédaient une pince énorme et une autre, minuscule.

Il n'était pas impossible que Horemheb se servît de Ay pour le prendre, lui, en tenailles, se disait le roi tandis que les petits crabes quittaient son cœur, remplacés par le souvenir de l'entretien qui venait d'avoir lieu. La fureur le reprit à la pensée que Horemheb avait tourné le dos avant de quitter la salle d'audience ; mais cette fois, il parvint à se maîtriser.

Horemheb était venu seul, pour une fois. Sa proposition avait été scandaleuse. Le roi avait sollicité — oui, sollicité d'un sujet ! — du temps pour réfléchir, mais en réalité il savait qu'il ne pouvait guère s'interposer. Le général voulait épouser Nézemmout.

Toujours ce mouvement en tenailles ! Cédant à la panique, le roi vit ses manœuvres contrecarrées sur le plateau du *senet*[1], se vit évincé avant d'avoir commencé à régner. Bien que Nézemmout ne pût se prévaloir de la beauté de sa sœur Néfertiti, à vingt-quatre ans elle avait le caractère bien trempé et, après la chute d'Akhenaton, elle avait chevauché la tempête sans rechercher la protection de son père. Dans le visage bistre aux traits énergiques, les yeux provoquaient, menaçaient. Si Néfertiti rappelait le ciel, Nézemmout évoquait la terre.

---

1. *Senet* : littéralement, « passer ». Jeu apparenté aux dames, se présentant sous la forme d'une tablette ou d'un coffret doté de trente cases sur une face et de vingt sur l'autre. On y jouait à l'aide de pions noirs et blancs et d'osselets. (*N.d.T.*)

Elle avait été mariée à l'un des fils du roi hittite Selpel, mais l'union avait été dissoute après que les Hittites eurent retiré leur amitié à la Terre Noire. Ensuite, elle avait vécu au palais de la cité de l'Horizon, où sa liaison avec le peintre Aouta, modérément désapprouvée par le roi, n'était un secret pour personne. Après la ruine de la cité, se souvint Toutankhamon avec un pincement de cœur, c'était sur la suggestion de Horemheb qu'il l'avait ramenée dans sa suite.

Où le général en était-il de ses machinations ? Jusqu'où pousserait-il la patience ? Le roi avait immédiatement compris qu'un mariage avec Nézemmout renforcerait de futures prétentions au trône. Elle était un parti préférable aux filles d'Akhenaton, dont les plus jeunes étaient désormais en âge d'être mariées, n'étant pas entachée d'un lien de sang avec le Grand Criminel.

Tandis que ses serviteurs apportaient de l'eau dans une bassine dorée et lui baignaient le visage et les bras, les pensées du roi se tournèrent, désagréables, sur sa propre connivence avec ceux qui avaient noirci le nom d'Akhenaton. Cela avait été nécessaire pour affirmer sa propre légitimité en tant que pharaon ; naturellement, la campagne avait été conçue, orchestrée et exécutée par Horemheb, qui avait rejeté sans ménagement les faibles objections de Ay voyant vilipender son ancien gendre. A l'époque, Toutankhamon avait cru qu'il agissait ainsi pour l'aider, pour redonner à la lignée dynastique un élan indispensable après tant de chaos et d'incertitude. Avec le recul, il lui apparaissait que Horemheb n'avait servi que ses propres intérêts, et ne voyait en lui qu'un instrument entre ses mains. Aussi longtemps qu'il accepterait ce rôle, il serait en sécurité, pour autant que le général le jugeât bon ; mais s'il résistait...

Le roi se redressa. S'il résistait, mieux valait être parfaitement sûr du succès.

Il observa la fille occupée à diluer le pain de fard à l'aide d'un tampon de lin. Elle s'approcha en évitant de croiser son regard, chose interdite à tous hormis aux serviteurs de très haut rang. Il lui faudrait mûrir ses plans plus vite que le général, il lui faudrait frapper fort, d'une main sûre, et uniquement lorsqu'il serait absolument certain de porter un coup fatal. D'ici là, il redoublerait d'efforts pour avoir un enfant. Il ferait examiner Ankhsi en secret et ils uniraient leurs prières à Rénoutet et Thouëris, Hathor et Bès. S'il parvenait à avoir un héritier mâle, il le présenterait à l'armée. Puis il prendrait en charge le commandement, usant ainsi de sa prérogative royale, sans que Horemheb pût émettre une objection.

Il sentit sur sa joue le souffle de la servante qui appliquait le maquillage. Il reprenait le dessus. Une douce chaleur monta en lui, et il redressa la tête. Il consentirait à ce mariage avec Nézemmout. Ces nœuds pourraient toujours être rompus plus tard, et si Horemheb avait des enfants, ils mourraient avec leur père sitôt que le roi serait assez puissant. Son cœur se fixa sur ce jour et ses pensées furent heureuses.

# 2

Tout le monde y trouvait son compte, songea Ay tout en regardant sa fille cadette prendre la main de Horemheb et faire échange de vœux avec lui. Ce rite habituellement si simple avait pris l'ampleur d'une cérémonie d'apparat, à l'instigation du général qui avait obtenu du roi la permission de la célébrer dans le temple d'Amon.

Ay était sceptique devant la soudaine disposition du jeune roi à accéder aux requêtes de Horemheb. Il avait la conviction que Toutankhamon était tout près de se rebeller contre eux, et s'en était ouvert à Horemheb lors d'un de leurs rares entretiens, après l'audition des rapports des vizirs du Nord et du Sud. Horemheb s'était esclaffé à cette idée, mais Ay avait eu l'impression d'être tenu à l'écart et voyait depuis lors un scorpion sous chaque pierre.

Il se frotta les mains et ses lourdes bagues s'entrechoquèrent. L'assemblée était debout dans une longue salle à piliers, les prêtres, en robes blanches et coiffures multicolores, à une extrémité, près du *naos* [1] ; les nobles rangés le long des bas-côtés et pressés entre les piliers. Son regard remonta vers les fleurs de lotus

---

1. *Naos* : sorte de tabernacle où était enfermée la statue du dieu, et dont les portes n'étaient ouvertes que par les prêtres les plus qualifiés, seuls autorisés à pénétrer dans cette partie sacrée. (*N.d.T.*)

peintes, symboles de leur capitale. Il lut les inscriptions qui y étaient gravées, remarquant les emplacements où la titulature de l'Honni avait été effacée. Par endroits, son propre nom était inséré en caractères serrés pour donner créance à son noble lignage. Combien de temps ses cartouches resteraient-ils là ? Partout il avait soin de se faire représenter sous l'aspect d'un homme jeune et vigoureux ; il se donnait l'image de celui qui alliait la force et le caractère à la sagesse et à l'expérience. Mais contre l'énergie agressive de l'ambitieux Horemheb, il savait la bataille perdue d'avance.

Il tourna son regard vers l'estrade où le roi et la reine étaient assis parmi leur suite, qui jetait des notes bleu pâle, vert et or dans la blancheur des robes et des pagnes dont étaient vêtus la plupart des membres de l'assistance. L'estrade était trop éloignée pour qu'il pût distinguer les traits du roi, mais sa contenance froide et altière n'était guère l'expression de la joie.

Quant à la femme et à l'homme dont les voix s'élevaient vers le plafond haut et se réverbéraient sur les blocs de pierre massifs et les lourdes solives en cèdre, leur physionomie était indéchiffrable. Nézemmout restait de marbre, et l'énorme visage meurtri de Horemheb, sillonné de rides profondes, ne trahissait rien des sentiments de son cœur. Les yeux marron brillaient dans cette peau boucanée mais savaient garder leur secret, ne révélant qu'une intelligence toujours vive et alerte. Horemheb pouvait, disait-on, résoudre simultanément cinq problèmes dans son cœur.

Le soleil déclinant dans sa course vers l'occident se glissa soudain par la haute entrée étroite du temple et y déploya ses ailes, dardant ses rayons çà et là, dansant sur les tons crème et rouges, bleus et or des colonnes et des murs. Comme sur un signal de Rê lui-même, les musiciens firent sonner leurs sistres et leurs crécelles, leurs cloches et leurs cymbales. Le roi tourna la tête vers la lumière et, cette fois, Ay discerna nettement le pli dur de la bouche. Si Horemheb l'avait remarqué, il n'en laissait rien paraître. Au-dehors, la foule criait son nom ainsi que celui de Pharaon. Nul n'aurait nié ce que Horemheb avait accompli pour la Terre Noire, pensa Ay. Mais peut-être existait-il une chose telle qu'un excès de gratitude.

Avec à sa tête le roi et sa suite, puis immédiatement après les nouveaux époux, l'assistance sortit en file vers la lumière. C'était le tout début de la saison de *shemou*, et même au milieu du jour la chaleur était supportable. Maintes d'entre les nobles dames portaient des châles de laine légère sur leurs robes à plis. La procession emprunta l'avenue qui reliait le sanctuaire à l'axe principal coupant la capitale du nord au sud, où des litières à dais attendaient les plus éminents. La musique jouait toujours, et tandis que les invités de rang plus modeste se regroupaient en ordre irrégulier derrière les litières, la rumeur des conversations s'ajouta aux sons des instruments. Le cortège se préparait à marcher vers le quartier palatial où, dans la grande cour ombragée de la demeure de Horemheb, débuterait dans une heure une fête de trois jours. Au bord de la route, la foule agitait des feuilles de palmier et poussait des vivats, jetant des rameaux sous les pas des hommes aux muscles cuivrés, vêtus de pagnes éblouissants en lin blanc ourlé d'or, qui portaient les litières du roi et de la reine, de Horemheb, Nézemmout et Ay. Derrière celle de la nouvelle épousée dansaient ses compagnes de toujours, les naines Para et Rénéneh.

C'était parmi les principaux acteurs de la célébration que régnait le moins de joie. Seules quelques paroles de pure forme furent échangées entre eux alors qu'ils prenaient place dans leurs litières respectives.

Il leur faudrait faire meilleure figure à la fête, pensa Huy, l'ancien scribe, qui les observait à l'avant de la foule. Il vit le visage fermé de Horemheb et de Nézemmout. Toutankhamon arborait l'air impénétrable et ambivalent qu'il avait appris à composer dans les dernières années de son adolescence. Quant à ses sentiments intimes, rien ne permettait de les deviner. Son épouse et Ay étaient les seuls à garder une expression limpide. Ankhsenamon était soucieuse. Ay semblait troublé, envieux ; mais il y avait de la détermination dans sa bouche aux lèvres minces. Un bref instant, les yeux de l'ancien scribe et du Maître des Écuries, qui tous deux avaient servi le souverain honni, se rencontrèrent. Y avait-il eu une lueur dans ces yeux-là, ou n'était-ce qu'imagination ? Cela faisait tant d'années qu'ils ne s'étaient pas vus... Depuis que Huy était revenu dans la capitale du Sud, l'exercice de sa profession lui étant interdit, il s'était taillé la réputation d'un homme capable d'élucider les énigmes. Conscient de l'aversion de Horemheb pour les adeptes moins puissants de l'ancien régime, Huy avait gardé un profil bas, mais ne pouvait rien changer à la réputation qu'il avait acquise, et grâce à laquelle il parvenait à vivre, quoique chichement.

A la limite de la foule, les hommes de la section spéciale de Horemheb, les Mézai, ne se donnaient aucune peine pour rendre leur présence discrète. Le général affichait son pouvoir de plus en plus ostensiblement, et Huy s'interrogeait sur ses raisons. Tentait-il de prouver au roi qu'il incarnait le véritable pouvoir dans le pays ? Recherchait-il délibérément la confrontation avec le pharaon ? En dépit de tout le raffinement, de toute la finesse politique qu'il avait appris au fil des années, le vieux lion ne montrait-il pas les dents à son jeune rival — même s'il savait que, une fois monté sur la barque *seqtet*, son pouvoir était voué à disparaître, et qu'il aurait beau bander tous ses muscles, il ne remonterait pas d'une seconde le cours du temps [1] ?

Toutefois, Huy se demandait si, en fin de compte, Horemheb était assez subtil ou assez modeste pour nourrir de telles pensées dans son cœur. Le général était un homme pragmatique. Il n'avait aucun goût pour l'abstraction, bien qu'il feignît de s'intéresser aux arts et fît pleuvoir l'argent dans les mains des peintres et des sculpteurs, des chanteurs et des potiers ; il ne faisait qu'imiter son héros, le pharaon guerrier Menk-héperrê Thoutmosis [2], Créateur du Grand Empire, dont la mort un siècle plus tôt était encore pleurée. De là, selon les historiens contemporains, datait la décadence de la Terre Noire. Horemheb, Huy en était convaincu, voulait être l'homme qui mettrait fin à ce déclin. Pour sa part, l'ancien scribe ne doutait guère qu'il réussirait, mais il réservait son jugement, car il conservait l'image, des années plus tôt, d'une lueur d'indépendance et de défi dans les yeux du jeune pharaon, tout juste âgé de neuf ans, pendant qu'il accomplissait le rite de l'Ouverture de la Bouche lors de la mise au tombeau de son immédiat prédécesseur, Sémenkhkarê. Depuis, ses conseillers-geôliers avaient suivi telles des ombres le moindre de ses pas, le moindre de ses gestes. Huy se demandait si, avec la maturité, le jeune roi trouverait la force et la ruse nécessaires pour briser les barreaux, faire sauter les verrous.

Lentement, les litières le dépassèrent, les porteurs soulevant de la poussière sous leurs sandales. En observant les rideaux flottants, Huy tenta d'imaginer

---

1. Pour l'Égyptien, l'idée de voyage évoquait en premier lieu celle de navigation. Il fallait donc au dieu solaire une barque pour se déplacer dans le ciel. Celle-ci avait pour nom *matet* lorsque le soleil se levait, et *seqtet* lorsqu'il se couchait. (*N.d.T.*)

2. Ou Thoutmosis III. (*N.d.T.*)

les pensées intimes de chacun des occupants. Il doutait que ceux qui finançaient les banquets qui suivraient s'y divertiraient grandement. Quelque temps encore, il regarda passer la foule animée et bruissante des invités de moindre rang et de fonctionnaires, les couvre-chefs scintillant au soleil, les remous de lin blanc et de corps bruns, contours estompés par la poussière. Il chercha Taheb des yeux. Un moment il crut la voir, sans en être certain, et quelque chose dans son cœur l'empêcha d'insister. Deux ans avaient passé depuis la fin de leur liaison, après plusieurs fausses ruptures et faux recommencements. Dans ce laps de temps, il ne l'avait vue qu'une fois, et seulement de loin, mais cela avait suffi pour révéler à son cœur qu'il ne l'avait pas oubliée. Et voilà qu'à nouveau ses yeux la cherchaient. Il pourchassait un rêve, il le savait, une illusion qui subsistait. Épuisé, il se demandait parfois quel était le prix à payer pour venir à bout de ces chimères.

Il se détourna de la procession et se fraya un chemin parmi la populace qui s'attardait jusqu'au passage du dernier invité. Il se sentait à la fois déçu et soulagé. Si d'aventure il rencontrait Taheb, les mots lui feraient défaut. Pourquoi, alors, se leurrer et vouloir croire qu'ils pouvaient à nouveau être ensemble ? Pour tromper la solitude ? Il savait dans son cœur qu'il ne voulait pas que Taheb revienne vers lui ; si son désir avait été réel, il y aurait remédié depuis longtemps.

Laissant la foule derrière lui, la musique faiblissant à mesure qu'il descendait la petite éminence où se dressait le temple, il reprit le chemin de son logis. Depuis quelque temps, il habitait une petite maison dans le quartier du port. Elle avait été achetée à son intention par Ipouky, le Contrôleur des Mines d'Argent, auprès de qui il avait su se rendre utile[1]. Grâce

1. Cf. *La Cité des rêves*, coll. 10/18, 1995, n° 2663.

à sa diligence, un chef des scribes corrompu avait été démasqué et un bordel infâme avait été fermé ; mais bien qu'Ipouky, fonctionnaire d'assez haut rang pour avoir l'oreille de Horemheb, eût intercédé en sa faveur, tout le mérite de l'enquête avait rejailli sur Kenamoun, le prêtre-administrateur qui en était officiellement chargé. Huy en avait été ulcéré. Il savait que Kenamoun lui-même avait assassiné une prostituée babylonienne, mais sa position le mettait à l'abri de toute accusation, et Huy avait dû se résigner à la défaite, se consolant à l'idée que des louanges publiques eussent risqué d'attirer une attention inopportune sur lui. Étant humain, il lui avait toutefois fallu du temps pour ne plus souhaiter voir les deux hommes jetés aux crocodiles.

Elle s'éveilla, immédiatement consciente que son époux ne dormait plus. Là dans le noir, les yeux dans le vide, il était troublé par des pensées qu'il ne lui livrait qu'à contrecœur mais qu'elle devinait aisément. C'était l'absence d'héritier qui faisait fuir son sommeil.

Elle étouffa un soupir, préférant lui cacher qu'elle était réveillée, mais elle le sentit se crisper et sut qu'elle n'avait pas gardé son secret. Toutefois il ne lui parla pas, et longtemps ils gardèrent le silence, écoutant l'îlot de sons assourdis provenant des réjouissances qui avaient lieu dans la demeure de Horemheb, de l'autre côté du quartier palatial. La journée avait été longue, et elle se sentait lasse, lasse d'avoir porté les lourds bijoux de la Couronne, lasse de la richesse des mets et des vins.

Dans l'obscurité, elle sentit son époux lui prendre la main. Reconnaissante, elle referma les doigts sur les siens, mais elle ignorait si ce geste d'affection venait du cœur ou n'était qu'une marque de bonté. Elle était jalouse de tout ce qu'il lui taisait. Elle haïssait son propre corps. Pourquoi se refusait-il à créer un enfant vivant ? Six mois seulement avaient passé depuis les noces de Horemheb, et voilà qu'on célébrait la grossesse de Nézemmout ! Sa tante, tellement plus vieille qu'elle-même, avait peuplé sa matrice sans effort. Quelle valeur avaient donc ces six mois de prières et de sacrifices aux dieux de la fertilité ? Les divinités, telles leurs images, étaient-elles de pierre ?

Il tendit la main vers son visage, et elle détourna la tête de peur qu'il sentît les larmes sur ses joues. Était-elle aussi stérile que la cité de l'Horizon où elle était née ? Une cité de morts...

« Tout ira bien, dit le roi avec une douceur qui la surprit. Les dieux encouragent Horemheb pour mieux le perdre. Quant à l'enfant à venir, jamais il ne prendra place sur le Trône d'Or.

— Je veux que tu en aies la certitude. Je veux que tu aies un héritier direct.

— J'en aurai un. Nous en aurons un, dit-il en l'enlaçant.

— Pourquoi les dieux restent-ils sourds ? Tu es des leurs. Horemheb peut-il les régenter comme il fait de tous ? »

Toutankhamon ravala sa colère, s'exhortant à l'indulgence devant la candeur de cette épouse qui n'était, à tout prendre, guère plus qu'une enfant.

« Pour lui, le temps de commander touche à son terme.

— Et Ay ?

— Il n'est déjà plus dans la course. »

Ankhsenamon s'abstint de tout commentaire. Elle n'était pas du même avis mais n'aurait su trouver d'argument, et préféra donc garder le silence. Le roi la caressa doucement au front, souhaitant que la fatigue et l'irruption intempestive de ses pensées ne l'empêchent pas au moins de feindre le désir. Il tourna son cœur vers les plans qu'il avait commencé à dresser secrètement, n'en parlant qu'aux rares hommes de confiance de sa maison qui les exécuteraient. Il n'avait pas le sentiment que l'on pouvait s'en remettre aux dieux en toute chose. Il lui fallait agir et, si vagues que fussent ses projets, il trouvait du réconfort à les voir prendre corps.

Sous ses caresses, apaisée, elle se rendormit. Comme elle était jeune ! La petite Ankhsi, aux bras fins et aux seins à peine naissants. Deviendrait-elle un jour, à l'instar de sa tante, une femme robuste et voluptueuse ? Elle semblait au roi telle une fleur sur le point d'éclore.

Toutankhamon ne retrouva pas le sommeil aisément, même si le souffle régulier de son épouse, brise légère contre son torse, finit par l'apaiser à son tour. Il s'était éveillé d'un rêve de chasse. Il croyait encore sentir la dureté du sable sous les roues de son char le plus léger, tiré par ses deux chevaux favoris, originaires du Nord. Ceux-ci réagissaient au moindre encouragement, et le char était assez maniable pour poursuivre la proie la plus rapide. Même le chat à longues taches ne pouvait lui échapper.

Dans son rêve il chassait de grands oiseaux qui fuyaient devant lui, désespérés, sur leurs jambes puissantes, balançant avec affolement leur tête stupide emmanchée sur un long cou chauve. Il voulait en tuer deux, pour réunir les plumes noires et blanches nécessaires à la confection de chasse-mouches dorés, qu'il avait commandés en vue de l'anniversaire de sa reine. Il y allait de son honneur de recueillir les plumes lui-même, et il était un chasseur chevronné. Après l'inactivité forcée de la cour, la chasse était sa plus grande joie.

Et voici qu'il chevauchait à travers le désert oriental,

près de Kharga, semblait-il ; loin parmi les dunes, bien loin de son terrain de chasse habituel. Les gros volatiles noir et blanc galopaient devant le char dans un bruit de tonnerre, tentant sans conviction de s'esquiver sur les flancs, trop lourds pour s'écarter du danger. Il lui suffisait de choisir sa cible et de l'abattre à l'aide de sa première lance. Puis une seconde cible de sa seconde lance, et ce serait fini. Ils retourneraient vers ses prises et le conducteur du char dépouillerait les corps des précieuses plumes, abandonnant les restes aux enfants de Nekhbet.

Dans son rêve il voulait passer les rênes au conducteur pour s'emparer de sa lance. Alors seulement, il s'apercevait qu'il était seul. Et voici que ses chevaux ralentissaient, exténués, que les oiseaux prenaient de la distance, les ailes battant tels des fléaux, fuyaient dans le désert de leur course grotesque jusqu'à devenir des points désordonnés et miroitants dans la fournaise, jusqu'à s'évanouir enfin dans les airs, le laissant seul.

Le véhicule s'immobilisait et ses bais splendides — dressés, disait-on, par les Hyksos — s'écroulaient sur le sable. Le char versait sur les brancards et le roi s'agrippait à la paroi pour conserver l'équilibre.

Le choc l'avait réveillé. Au début il s'était senti soulagé que ce ne fût qu'un rêve, tant tout avait semblé réel. Sa dernière pensée, désespérée, avait été pour l'Empire qu'il laissait sans héritier, à la merci de Horemheb. Puis il avait reconnu sa chambre, entendu la respiration douce de sa femme et su, avec un léger agacement dont il avait eu honte, qu'avant moins d'une minute elle sentirait qu'il était éveillé et sortirait elle-même du sommeil.

Il observa brièvement sa Grande Épouse, le fin profil de son corps dessiné par la lune dans l'obscurité, et adressa une fois de plus à Min la prière d'inonder sa cavité natale de la boue fertile où poussaient les humains. Puis il se rallongea, ajusta silencieusement son appui-tête et écouta les échos de la fête donnée par Horemheb. Des mois et non des heures semblaient avoir passé depuis qu'ils avaient quitté la réception, ne l'honorant qu'au tout début de leur royale présence.

Il resta ainsi couché tout éveillé jusqu'à ce que meurent les bruits des festivités, remplacés peu après par les pas assourdis et les toux étouffées des domestiques qui se levaient, faisaient du feu pour cuisiner, apportaient de l'eau, du lait, des haricots et de la farine pour le premier repas, ramenant le palais à la vie. Bientôt leurs serviteurs personnels viendraient les réveiller et les baigner, et le Grand Intendant arriverait en compagnie du Secrétaire Privé, afin de recevoir les ordres domestiques et publics pour la journée. Être ainsi attelé au devoir sans tenir les rênes du pouvoir commençait à tuer le *ka*[1] du roi. En sourdine monta l'appel des aigrettes près du Fleuve. Les yeux las de Toutankhamon se perdaient encore dans le jour grandissant. Étourdi et la bouche sèche, grisé par le manque de sommeil, il se recueillit en lui-même et tenta d'écouter ce que lui dirait son cœur.

« N'accepte pas plus longtemps ta prison. La seule issue est de tuer le geôlier. »

Il avait entendu ces mots maintes et maintes fois. Combien de temps s'écoulerait encore avant qu'il cesse d'écouter et passe à l'action ? Eh bien, il commençait à agir, en quelque sorte. Il se refusait à endurer des nuits d'insomnie le reste de sa vie. Malgré lui, il se prit à penser à l'ancien roi, Akhenaton. Ses conseils lui auraient été si précieux ! Toutankhamon tâcha de

1. *Ka* : le double spirituel. Né avec l'homme, il grandit en même temps et le protège. Après la mort, il aspire à poursuivre dans la tombe la vie qu'il a menée sur terre. (*N.d.T.*)

se rappeler cet être lointain, paternel et fragile, mais sa mémoire émoussée faisait resurgir la silhouette et non les traits. Restait une impression de douceur et de réconfort.

Le roi posa les pieds par terre et se leva d'un mouvement souple, qui lui donna le vertige. Il entendit ses serviteurs attitrés s'approcher et les vit hésiter dans le passage masqué par des voilages, n'osant entrer, ayant remarqué la reine toujours endormie. Il prit un pagne de lin sur le dossier d'une chaise pliante en ébène incrustée d'or et, s'en ceignant étroitement, se dirigea vers la porte.

« Mésésia ! » lança-t-il à l'un des domestiques en lui faisant signe.

L'homme s'avança, inclinant sa tête rasée.

« Va chercher Ahmosé. Conduis-le dans la Salle Rouge et dis-lui de m'y attendre. »

Un peu plus tard, au terme de son entrevue avec le roi, Ahmosé sortit du palais par une porte latérale. Il n'avait guère eu à parler. Il lui avait semblé que Toutankhamon désirait seulement se redonner confiance en revenant une fois de plus sur son plan d'assassiner Horemheb. Ahmosé, qui pratiquait la cour depuis dix-sept ans et se servait de son allure aussi rassurante que celle d'un vieil oncle pour attirer la confidence, se félicita que le souverain parût toujours l'inclure dans son cercle d'intimes. Dommage qu'il fût trop intelligent pour permettre à ceux qui en faisaient partie de se connaître. Quelque temps Ahmosé s'était demandé si le roi ne se méfiait pas de lui ; si toute cette conspiration contre le général ne relevait pas de la pure fantaisie. Désormais il était sûr qu'une vague révolution se tramait. A force de patience il obtiendrait des détails, peut-être même les noms des conjurés.

Quittant la cour extérieure du palais, il se retourna

pour scruter la galerie à colonnade qui courait le long du premier étage. Il n'y distingua personne. Il reprit son chemin d'un pas plus vif.

Plaqué contre une colonne, le roi regarda le courtisan obèse franchir le portail précipitamment, n'hésitant qu'une fraction de seconde avant d'emprunter la rue en direction de la riche demeure de Horemheb. Toutankhamon serra les poings. Cette bataille ne serait pas gagnée de sitôt. Mais il apprenait, constamment.

# 3

Le roi conclut en son cœur qu'à moins d'être aidés, les dieux demeureraient impartiaux. Étant le Gardien de l'Incarnation Perpétuelle de Rê sur Terre, il n'eut pas une hésitation. Et à sa grande joie, sinon à sa surprise, un seul geste de lui déclencha l'action des dieux mêmes dont il avait si longtemps sollicité l'alliance.

Par la mort d'Ahmosé, il avait voulu donner un avertissement, si détourné fût-il, au général. Il avait fait enlever puis noyer l'homme en aval du Fleuve, répugnant à le priver d'une mort clémente et noble. Le corps avait été rapporté dans la cité et déposé sur la rive, près de la jetée personnelle de Horemheb. Il ne faisait ainsi que se conformer à la coutume, et il était certain que le général saisirait clairement le message. Son inquiétude venait de ce qu'il ignorait combien d'autres serpents il avait réchauffés dans son sein.

Il lui fallut encore patienter plusieurs mois, durant lesquels les deux camps se contentèrent d'attendre et de s'observer, conservant leur position stratégique, se jouant ce qu'il commençait à envisager comme une guerre des nerfs. Puis l'inquiétude se mua en triomphe lorsque soudain les dieux portèrent deux coups en faveur de Pharaon.

L'année avait accompli sa révolution et la Terre Noire était entrée dans la saison de *shemou*. En ces temps propices, l'activité éreintante des moissons avait rempli les greniers et, pour rassembler l'abondante récolte de froment, d'orge et de lin, avait requis jusqu'aux ouvriers de la Vallée où s'étendaient les grands tombeaux des défunts, sur la rive occidentale du Fleuve, face à la capitale du Sud. Enfin le pays se reposait, las et reconnaissant. Cependant le cœur du roi ne connaissait pas le repos, car il ressassait inlassablement l'idée que la matrice de l'Épouse Principale restait vide, quand Nout et Geb allaient faire le don imminent d'un enfant à Horemheb et Nézemmout. Il fallait deux saisons et un passage de la lune pour qu'un enfant grandisse dans la cavité natale, or ce temps était presque écoulé.

Toutefois l'enfant de Nézemmout vint prématurément, et mort-né. A la satisfaction secrète du roi, c'était un garçon. Voilà qui serait tel du vinaigre sur les lèvres du général. Le petit cadavre à tête énorme, recroquevillé comme un bébé crocodile dans son œuf, fut rapidement séché et embaumé, puis placé dans un coffre en cèdre en prévision du temps où il rejoindrait ses malheureux parents dans la tombe. Ceux-ci connaîtraient donc la même douleur que celle dont le roi avait été frappé.

Le mois suivant, le flux sanguin d'Ankhsi ne vint pas. Elle montra à Toutankhamon la serviette de lin, aussi nette que lorsque sa servante l'avait attachée à ses reins. Le roi n'osait y croire.

La nouvelle se répandit vite dans cette maison partagée entre l'espoir et le pessimisme depuis des années. Les domestiques ravis en parlèrent qui à sa femme, qui à son époux, à sa compagne ou son amant — le roi n'imposait aucune consigne de silence. La tristesse qu'inspirait la matrice morte de la reine céda la place à des spéculations sur le sexe de l'enfant royal. Dans le quartier du port, les paris penchaient avec prudence en faveur d'un fils, et Huy, l'ancien scribe, misa une pièce d'or dans l'espoir d'un héritier mâle. Enfin le soleil semblait changer de place dans le quartier du palais et, délaissant la demeure de Horemheb, éclairer celle du roi. Le général et les siens exprimèrent leurs félicitations, et le roi compatit solennellement à leur infortune. Tous s'en remirent publiquement à la volonté des dieux et parèrent secrètement à toute éventualité.

Au début, Toutankhamon craignit d'avoir tenté la colère des dieux par des réjouissances prématurées, mais un deuxième mois passa et le tampon de lin resta immaculé, sans la moindre trace de sang foncé. La garde de la reine fut doublée et les Mézai interdits dans l'enceinte du palais. Le général conservait une expression figée et se montrait moins en public. Ay, en revanche, rendait des visites plus fréquentes au roi.

Au troisième mois, le pharaon décida qu'il s'était trop longtemps abstenu de chasser.

Ankhsenamon n'avait jamais aimé la chasse, cette activité dangereuse et sanglante. Le roi lui semblait tel un inconnu pendant une heure après son retour. Quelquefois il demeurait des semaines au loin.

« Tu dois être prudent, lui recommanda-t-elle.

— N'aie crainte.

— Combien de temps pars-tu ?

— Trois jours tout au plus.

— Et où iras-tu ?

— Là où se trouve le gibier.

— Que penses-tu chasser ?

— Tout dépend de ce que nous verrons. Je veux te rapporter quelque chose de spécial.

— Ne chasse pas le lion... »

La reine redoutait le nouveau char léger. Elle le savait plus rapide que nombre des animaux que le roi aimait chasser, mais elle savait aussi qu'il versait facilement. Si le roi tombait près d'un animal blessé et furieux, comme un lion ou, pire, un taureau sauvage, il mourrait. Seule, elle ne pourrait faire front contre leurs ennemis. A l'instar de ses sœurs, elle serait condamnée à une prison dorée et à une existence vide. Ou pire, menacée d'un mariage avec Ay.

« N'y va pas sans escorte, insista-t-elle. Emmène de nombreux archers avec toi.

— C'est entendu », la rassura le roi.

Pour sa part, c'était une chasse au lion qu'il avait à l'esprit. Son ancêtre Nebmaâtré Aménophis en avait tué cent dans son jeune âge. Il avait pour ambition de battre ce record.

Il alla inspecter ses animaux. Ses chiens de chasse efflanqués bondirent contre la porte de leur cage pour lui faire fête, se bousculant, posant leurs grosses pattes ruisselantes de sable contre la traverse de bois, pressant en avant leur mufle impatient et agitant leur longue queue, les yeux vifs et la langue frémissante. Il caressa les oreilles soyeuses et nicha dans sa paume les museaux pointus.

Les chats, dressés pour rapporter les poissons et le petit gibier, l'accueillirent plus posément, mais cessèrent de faire leur toilette et arpentèrent leur cage en pointant leurs oreilles, s'affrontant parfois l'un l'autre. Non loin de là, ses deux guépards, capturés jeunes et formés à la chasse par des dresseurs nubiens, s'étirèrent en le fixant des yeux, à la fois sur leurs gardes et pleins d'attente. Il s'arrêta pour réprimander l'esclave qui n'avait pas encore rafraîchi leur eau ce jour-là, puis se dirigea vers le vaste enclos de cèdre où ses chevaux de course et de char étaient enfermés.

Ces animaux précieux, troisième génération à être élevée dans le Sud, faisaient la fierté et la joie du roi.

Il adorait leur force et leur loyauté, et les faisait garder avec presque autant de vigilance que sa propre personne. Il leur donnait de fines tranches de gâteaux au miel et de vraies pommes, importées à grands frais des terres du Nord.

« Quel gibier y a-t-il ? demanda-t-il au Grand Veneur.

— Tout près, des gazelles. Et des bouquetins en grand nombre, à moins d'une demi-journée de cheval.

— Ce sont les lions qui m'intéressent, Néhésy.

— Il n'y en a pas à proximité, dit l'homme après réflexion. Il fait trop sec à présent. Peut-être au sud de la Première Cataracte, ou vers l'oasis de Dakhlah. »

Le roi secoua la tête, désappointé. C'étaient des lieux trop éloignés. Il pensa à la demi-promesse qu'il avait faite à Ankhsi de ne pas s'absenter longtemps. Il voulait lui rapporter des trophées dignes d'un roi, sachant que l'esprit des animaux entrerait en lui et l'affermirait, lui, leur vainqueur. Mais il préférait ne pas la laisser seule. Depuis l'incident avec Ahmosé, il ne savait à qui se fier et avait donné ordre à sa garde personnelle de n'admettre auprès de la reine que des parents de sang ; mais comment aurait-il pu refuser l'entrée à Ay ou à Horemheb ?

« Es-tu sûr qu'il n'y en a pas plus près ?

— En chevauchant par le Fleuve, tu serais à la Première Cataracte en deux jours.

— C'est encore trop long.

— Combien de temps le roi a-t-il l'intention de chasser ?

— Je ne puis m'accorder plus de trois jours.

— Quel dommage que nous n'ayons pas de lions parqués !

— Cela n'est pas chasser », répondit le roi dédaigneusement.

Il était fort rare, désormais, que les nobles chassent

à l'ancienne mode, transperçant d'un coup de lance des animaux déjà emprisonnés dans un enclos, du sommet de la palissade. Le cheval et le char d'électrum avaient ajouté à ce sport la rapidité, la mobilité et le danger.

« Veux-tu chasser sur le Fleuve ? suggéra Néhésy devant la crispation du souverain, qui reprit rapidement son expression coutumière, dangereusement indéchiffrable. Je pourrais appeler les chasseurs de gibier d'eau. A moins que nous ne poursuivions l'hippopotame ou le crocodile ?

— Non. Je veux prendre le char. Nous irons chasser le bouquetin. Où trouve-t-on de bons troupeaux ?

— Dans le désert oriental.

— Bien. Nous gagnerons du temps en évitant de passer le Fleuve.

— Quand partons-nous ?

— Sitôt que la chaleur du jour sera tombée. Je prendrai mon attelage habituel ainsi que le nouveau char.

— Et quels chiens ?

— Donne-moi Pépi, Ypou et Routtet. Shérybin conduira mon char. »

Le roi passa agréablement le reste de la matinée à choisir ses lances de chasse et à débattre avec Néhésy et Shérybin des meilleurs arcs à emporter. Le nouveau char fut amené dans la cour et calé sur ses brancards, luisant de rouge et d'or au soleil. Ils éprouvèrent la solidité des étriers et des rênes. Ils débattirent des mérites et des inconvénients du véhicule au plancher plus lourd, qui apportait une plus grande stabilité au détriment de la vitesse.

« Mais la rapidité ne nous servira à rien pour la chasse au bouquetin, observa Shérybin.

— Je sais, dit le roi d'un air sombre.

— Il y a dans le troupeau un mâle aux cornes les plus belles que j'aie jamais vues, intervint rapidement Néhésy. Je les vois déjà sur la proue de la nef royale.

— Bien ! s'exclama le roi, dont le visage s'éclaira.

— Qui d'autre emmèneras-tu avec toi ? demanda Néhésy.

— Tu viendras, ainsi que les trois meilleurs traqueurs, et deux chars supplémentaires où tu mettras mes hommes.

— Est-ce une protection suffisante ?

— Je ne chasserai pas un gibier dangereux.

— Non, je voulais dire... »

Il s'interrompit. Voyant son hésitation, Toutankhamon l'interrogea.

« Où veux-tu en venir ?

— Avec un enfant à naître, la sécurité est essentielle. »

Le pharaon acquiesça pensivement.

« Trois chars, donc. Et dedans, mes hommes les plus vigoureux. Nous ne serons pas absents longtemps. »

Il les quitta, mais ne put se défaire d'une certaine irritation. Les mesures de sécurité jetaient une ombre sur sa joie. La chasse était la seule occasion où il tentait d'oublier qu'il était roi, pris dans les rets du complot et du devoir qui chaque jour semblaient se resserrer sur lui. Il avait beau savoir que c'était déraisonnable, il aspirait à s'enfoncer dans le désert seul pour une fois, à se débarrasser des autres, pour se mesurer aux forces de la nature.

Il prit le repas de midi seul avec la reine, mangeant de façon simple et frugale : du *foul*[1] accompagné de lait caillé salé et de pain ordinaire. Ensuite ils allèrent dormir dans la chambre à coucher. Elle le caressa tandis que, nus, ils reposaient dans le demi-jour brun créé par les persiennes, et en réponse il glissa un bras sous elle pour l'attirer contre lui, pressant ses fesses étroites. Puis il se rallongea et lui permit de le monter, comme

1. *Foul* : plat de fèves à l'huile. (*N.d.T.*)

elle aimait, et elle le chevaucha avec une douceur ensommeillée pendant une demi-heure avant qu'il ne jaillît en elle, et elle se pencha, s'accrocha à son cou, gémissante. Dans la paix qui suivit, il oublia ses angoisses et ses ambitions — ou du moins, le sentiment de plénitude né de leur union les fit-il reculer jusqu'au fin fond de son cœur.

Les serviteurs vinrent le préparer à la dixième heure du jour, alors que, sur la rive opposée du Fleuve, le soleil s'inclinait en ligne abrupte vers la Vallée, faisant virer les falaises de l'ocre au rouge, du rouge au noir. Ankhsi se leva avec lui et le baigna elle-même. Il sentait son chagrin tel un mur entre eux, et cela altéra le plaisir qu'il éprouvait d'avance à l'idée de la chasse. Après tout, lui chuchotait son cœur, la seule proie à espérer était un bouquetin. Mais ayant pris sa décision, il ne changerait pas d'avis ; il était trop fier de sa réputation de chasseur émérite et passionné. Il ne put cependant dissiper le poids de ce reproche et détesta l'anxiété avec laquelle elle s'accrocha à lui lorsqu'ils se séparèrent.

« Les dieux t'ont-ils parlé ? lui demanda-t-il tout bas, surveillant les serviteurs qui se tenaient à proximité.

— Non.

— Aucun présage ?

— S'il y en avait eu un, je te le dirais. Tu n'irais pas.

— A qui as-tu adressé tes prières ?

— A Hathor et Onouris. »

La Nourrice du Roi et le Chasseur. Les dieux mêmes qu'il avait choisis. C'était de bon augure. Souriant, Toutankhamon embrassa à nouveau son épouse, sur le nez, les yeux, les oreilles et les lèvres, et effleura d'une main les orifices inférieurs de son corps.

« Puissent les dieux te garder, dit-il.

— Puissent-ils te protéger », répondit-elle en le regardant tristement.

Dès qu'il se fut éloigné d'elle, il se sentit soulagé, le poids du reproche allégé par l'absence. Tandis qu'il pénétrait dans le désert, le vent tiède sur son visage semblait déferler en lui et purifier son cœur. Sous la poigne de Shérybin, les chevaux excités fonçaient ventre à terre, et le roi pouvait à loisir scruter le paysage crépusculaire qui défilait, majestueux comme la mer.

Ils installèrent le camp à la nuit tombante et s'assemblèrent autour du feu lorsque le premier quart eut été organisé. Les tentes étaient fragiles et vulnérables dans l'immensité déserte ; les pans de lin claquaient au vent impétueux, tourbillonnant, qui brusquement changeait de direction, fouettait le sable vers leurs visages et faisait bondir les ombres. Dans le silence qui suivit, Toutankhamon guetta avec espoir le feulement d'un lion, mais rien ne jaillit des ténèbres que l'aboiement solitaire et lointain d'un chacal. Néhésy était son aîné, Shérybin était un peu plus jeune que lui, et il se réjouissait de leur compagnie. Si seulement le gibier avait été plus exaltant ! Il insista pour qu'ils se retirent avant lui et resta auprès du feu mourant, plus seul, songea-t-il, qu'il ne le serait jamais, avec un garde et un serviteur pour uniques compagnons. Il ouvrit son cœur à l'étendue désertique qui l'entourait et la laissa prendre possession de lui.

Le lendemain, les traqueurs, partis avant l'aube explorer en une course silencieuse l'obscurité à l'orient, revinrent avec la nouvelle qu'à une demi-heure de cheval un petit troupeau de bouquetins — de quinze à vingt bêtes — paissait dans un groupe de collines basses, guère plus que des tertres escarpés. Les quatre chars furent attelés et la chasse se mit en route, le roi et Shérybin en tête, Néhésy et son conducteur en retrait sur la droite, les autres sur la gauche et à l'arrière. Ils s'étaient largement déployés afin de tromper la vigilance de leur proie. Toutankhamon soupesa une lance moyenne dans sa main et oublia les lions.

Bientôt les talus rocheux furent en vue, silhouettes grises sur le jaune du désert. Jadis une petite mine d'or avait été exploitée ici, toutefois il n'en restait plus qu'une ouverture pareille à l'entrée d'une grotte, et alentour des tessons de jarres à eau. Ils n'étaient guère éloignés de la route principale qui reliait la capitale du Sud et le port de la mer orientale, d'où les navires côtiers partaient vers le pays de Pount, mais la désolation du désert les recouvrait tel un linceul. Les chars se placèrent en éventail, les chevaux ralentirent et adoptèrent le petit trot pour contourner les rochers à distance. Dans l'escarpement, des formes plus douces se détachèrent et les grands animaux brun-gris levèrent leurs longues cornes recourbées pour observer cette intrusion avec curiosité et méfiance.

Le roi échangea sa lance contre un arc et une flèche. Adressant un signe de tête à Shérybin, il cala ses pieds dans les sangles, au fond du char, et enfila son gant d'archer.

La chasse dura toute la matinée, mais ne fut pas un franc succès. Trois bêtes gisaient, alignées sur le sable, toutefois elles étaient âgées et n'étaient tombées sous les flèches des archers que parce qu'elles avaient perdu leur agilité. Il n'y avait aucune gloire à tirer de leur mort, et le roi avait mis un terme à la poursuite avec dégoût. Ce n'était pas ainsi qu'il célébrerait l'arrivée de son enfant. Il retourna, morose, vers le campement. Son humeur ne s'améliora pas quand Shérybin lui apprit que l'essieu de son char était endommagé, et qu'il fallait en rapporter un autre de la capitale ; il donna à son conducteur la permission de s'absenter le deuxième jour afin d'aller chercher la pièce de rechange. Ce jour-là, il chassa avec Néhésy, mais les seuls êtres vivants qu'ils aperçurent furent des rats dorés des sables, qui sortirent la tête de leur tanière à leur passage.

Le dernier jour, le roi fut réveillé de bonne heure par un Shérybin surexcité.

« Les traqueurs sont revenus avec une grande nouvelle, dit le conducteur de char, parvenant à peine à contenir son enthousiasme.

— Laquelle ? »

Le roi lança un rapide coup d'œil vers le ciel, à travers l'ouverture de la tente. Les traqueurs pouvaient-ils déjà être de retour ?

« Des taureaux sauvages », annonça Shérybin dans un murmure triomphal.

Le cœur de Toutankhamon fit un bond. Si cette nouvelle était vraie, alors le présage avait été favorable, après tout. Des taureaux sauvages ! Ce serait une prise digne du grand Thoutmosis lui-même. Seuls les pharaons avaient le droit de les chasser... Il se laissa emporter par l'ambition.

« Réveille les autres ! Nous devons nous mettre en route sur-le-champ. »

Shérybin l'exhorta au silence. L'espace d'un instant, ils n'étaient que des égaux, discutant avec passion d'une chasse importante.

« Non, pas les autres. Tu sais combien les taureaux sont nerveux. Un groupe nombreux risquerait de semer la panique parmi eux, et alors ils détaleraient sans que nous ayons pu décocher une seule flèche.

— Mais si nous y allons seuls, nous aurons moins de chance de réussir.

— Plus qu'en groupe, en tout cas. Je connais la sûreté de ton tir. Tu es le meilleur archer de la Terre Noire. »

Toutankhamon avait coutume de mordre le métal de la flatterie pour s'assurer qu'il était de bon aloi. Mais venant d'un chasseur, d'un conducteur de char aussi expérimenté que Shérybin, c'était à prendre comme un compliment digne de foi.

« Nous laisserons un message à l'un des gardes pour indiquer la direction que nous prenons, continua Shérybin, apaisant spontanément la réserve que le roi n'avait pas exprimée. Allons ! Si nous tardons, nous passerons à côté de l'occasion. Ils traversent sans doute le désert d'oasis en oasis et ne se laisseront pas prendre à découvert quand le soleil sera haut. »

Convaincu, le roi se leva et, renvoyant son serviteur, se lava, se vêtit et sangla lui-même son brassard de cuir. Il sortit dans la nuit bleue, dans le frais silence du désert. Rien ne bougeait mais, non loin du camp, il vit avec surprise son char déjà attelé et l'un des traqueurs debout près des chevaux. Shérybin dit quelques mots rapides et pressants à un garde qui s'avançait dans la lumière brasillante du feu. Ils aidèrent le roi à monter sur la plate-forme du char, où les armes appropriées étaient déjà disposées. Le traqueur au corps longiligne s'élança en direction du sud et fut bientôt à peine visible dans la pénombre. Ils suivirent au petit trot, faisant le moins de bruit possible. Le roi jeta un dernier regard sur le camp endormi, mais l'idée des taureaux sauvages dissipa les derniers doutes qui s'attardaient dans son cœur. Il offrit son visage au vent et imagina des peaux marron et blanc, des yeux fiers d'un noir de jais et de longues cornes tordues.

Le traqueur était hors de vue. D'un claquement de langue, Shérybin lança les chevaux au petit galop. Toutankhamon tint fermement la sangle de cuir et examina ses armes. Un lourd bâton de jet, un arc plus massif que celui utilisé le premier jour et un court glaive de bronze dans un fourreau de cuir. Les chevaux avaient accéléré mais le traqueur conservait son avance, car le roi ne le distinguait pas sur l'horizon monotone. Froidement, l'idée lui vint alors que Shérybin ne le voyait pas non plus, et qu'en ce cas il était étrange qu'il connût la direction à prendre. Il regarda furtivement son conducteur qui, même s'il en eut conscience, garda les yeux fixés devant lui.

« Combien de temps encore ? » voulut savoir le roi.

Une mince ligne bleu pâle dessinait les contours des collines basses proches de la côte, loin vers l'orient ; sous peu, il ferait suffisamment clair pour y voir à des lieues à la ronde. Il évalua la vitesse à laquelle il pouvait dégainer son glaive. Avec l'aube se leva le vent du nord.

« Bientôt. »

La voix demeurait chaleureuse et enthousiaste, vibrante dans l'ardeur de la chasse. Mais le roi sentait dans ses entrailles quel insensé il avait été.

« Où est le traqueur ?

— Devant.

— Nul ne pourrait courir aussi vite.

— Écoute ! » dit Shérybin en immobilisant l'attelage.

Au début, après le fracas des sabots et du char, le silence parut impénétrable. Mais ensuite, d'abord lointain, vint l'écho d'autres sabots. Le roi scruta la pénombre ; des formes sombres apparurent, leur coupant le chemin. Le roi sentit son souffle s'accélérer, son corps se pétrifier. Il se força à se tourner pour voir la réaction de Shérybin. Il s'en était fallu de peu : la main du conducteur était posée sur la garde du glaive.

Sans réfléchir, le roi abattit son poing droit. Les trois lourds anneaux d'or broyèrent la main brune et mince, et le conducteur s'écarta avec un cri de douleur. Toutankhamon tira vivement le glaive du fourreau et l'appuya contre la gorge de Shérybin.

« Qu'as-tu fait ? »

L'homme eut un pâle sourire, mais la peur se lisait dans ses yeux.

« Tu n'aurais pas dû conduire si vite, reprit le pharaon. Je ne me serais peut-être douté de rien. »

Il fut surpris de son propre calme quand, du coin de l'œil, il vit les silhouettes s'approcher, encore trop lointaines pour être identifiables. Dans la lumière naissante, ce n'était assurément pas du bétail. Des cavaliers. Avaient-ils pu voir ce qui venait de se passer sur le char ? Ils arrivaient sans hâte.

Il tenta d'évaluer la distance qui le séparait du camp. Le son se propageait loin dans le désert, surtout dans l'air translucide du matin. Quoi qu'il advînt à présent, tout irait très vite.

Il arracha les rênes des mains du conducteur et, enfonçant fermement son pied dans l'étrier pour conserver l'équilibre, il éleva son glaive en prononçant la malédiction sans hésitation, sans émotion :

« Seth puisse-t-il t'engloutir, Shérybin ! »

La peur et peut-être la honte avaient transformé le conducteur en statue. Les pensées volaient dans le cœur du roi. Il avait envie de savoir, de découvrir pourquoi. Par-dessus tout, il était atterré par cette trahison, par la rapidité avec laquelle elle avait eu lieu. Il avait peu de doute sur l'identité de son instigateur. Cependant le temps manquait. Les cavaliers approchaient toujours, ils avaient accéléré. Il abaissa violemment son glaive. La lame trancha le cou juvénile et musclé à la base, fendant la clavicule jusqu'au sternum. Le conducteur haletait et suffoquait encore, pressant convulsivement la plaie, quand le roi, laissant l'arme enfoncée, le fit basculer hors du char d'un coup de coude.

Les chevaux étaient inquiets. S'efforçant de leur parler d'une voix posée pour les calmer, Toutankhamon leur fit faire demi-tour. Les cavaliers étaient à moins de cent pas, et il les entendit se héler mutuellement. Ils avaient vu Shérybin tomber. Le virage, accompli en une seconde au cours de la chasse, dura cette fois une éternité. Le roi affermit sa prise sur les rênes et tira si fort que les chevaux se cabrèrent. De sa main libre, il se saisit de sa lance. Puis, aspirant l'air à pleins poumons, il lança les chevaux en avant et fila vers le campement en poussant son cri de guerre. Derrière lui, il percevait la battue des sabots tandis que ses poursuivants cinglaient leur monture. Combien étaient-ils ? Dix ? Vingt ?

Il filait, mais, alors même qu'il criait, il savait que le vent du nord emportait l'écho de sa voix faiblissante vers les hommes derrière lui. Néhésy ne l'entendrait jamais du camp. Mais ils étaient sûrement levés, peut-être même en selle, prêts à partir à sa recherche. Shérybin avait fait preuve d'astuce en donnant des indications au garde, mais aussi d'un excès de confiance. Cette pensée redonna du cœur au souverain.

Alors un de ses chevaux trébucha. Bien qu'il reprît la cadence presque immédiatement, le char avait fait un tête-à-queue et le roi sut qu'il venait de perdre de précieuses secondes lorsqu'il eut rétabli la direction. Son cœur se vida quand il s'aperçut que l'un des cavaliers gagnait sur son flanc. Il prodigua des encouragements à ses chevaux et une fois encore le char léger s'envola. Toutankhamon respirait à pleine gorge, pris d'un frisson qui avait peu à voir avec l'horreur de la situation. Il ne pouvait croire qu'il allait mourir, qu'on avait osé projeter, voire imaginer d'attenter aux jours de Pharaon. Un tel acte eût été un déicide. Mais à travers la brume de ses pensées en déroute en passa une, lucide. Comment son immédiat prédécesseur, Sémenkhkarê, s'était-il éteint brusquement à vingt ans, dans la fleur de l'âge ?

Il revint à sa propre course avec la mort. Une silhouette sombre talonnait ses chevaux, se penchait pour s'emparer des mors. Il tira sur les rênes pour ralentir, déséquilibrant ainsi le cavalier. Du bras droit, il enfonça sa lance en avant, au jugé. La pointe fit mouche et s'enfonça, puis la hampe s'arracha à ses doigts, alors que le corps transpercé tombait sans bruit de sa monture qui s'éloigna dans le désert.

Toutankhamon scrutait l'horizon, mais le vent qui battait son visage le forçait à plisser les yeux, et il ne voyait pas grand-chose. Aucun signe du campement, ni de Néhésy volant à sa rescousse. Le sable l'aveuglait, le condamnant à ralentir encore. Son cœur lui dit que tout était fini. Il avait conscience de leur présence de l'autre côté du char et de la fatigue de ses chevaux qui l'abandonnaient, perdant la volonté de continuer. Il n'avait plus aucune arme à utiliser en combat rapproché.

La mort de leur compagnon avait tourné à leur profit, car elle avait coûté à Toutankhamon les ultimes secondes de son avance. Ils tenaient ses deux chevaux par le col et se penchaient en arrière pour ralentir le char, tenaillant les flancs bruns de leur monture entre leurs cuisses musclées.

Le dernier cri qu'il lança ne suscita qu'un effort languissant de la part de ses chevaux, trop effrayés et affolés pour pouvoir encore obéir. Il sentit la réalité lui échapper. Comme en un rêve, il vit son attelage forcé à s'arrêter, les animaux baisser la tête une fois libérés, soumis, vaincus. Derrière lui enfin une voix proféra un ordre sec et laconique :

« Vite ! »

Le cœur de Toutankhamon sut qu'il venait d'entendre la voix de la mort, pourtant la scène qui se déroulait autour de lui ne semblait nullement le concerner. Debout sur son char tel le capitaine d'un navire sombrant dans le Fleuve, il observait les hommes qui dételaient hâtivement ses chevaux. Ils abaissèrent les brancards sur le sable et le char bascula en avant, le faisant vaciller. Alors, à la seconde précise où ils allaient s'emparer de lui et l'obliger à descendre, la réalité le submergea et avec angoisse il eut la vision d'Ankhsi, que jamais plus il ne reverrait, dont jamais plus il ne sentirait le souffle tiède sur son torse quand elle dormait. Il pensa à l'enfant qu'il ne connaîtrait pas, au royaume qu'il ne gouvernerait pas. Comment avait-on pu se jouer de lui si cruellement ? Il s'était montré si prudent !

Une dernière pensée traversa son cœur : s'il ne pouvait se comporter en roi dans la vie, il se comporterait au moins comme tel devant la mort. Il tira une flèche de son carquois au moment où ils posaient les mains sur lui, et la décocha vers le cavalier qui, lui semblait-il, avait lancé l'ordre ; un homme mince et anguleux à la barbe rare. Il visa juste, et pendant quelques secondes de triomphe et d'espoir, on eût dit que l'œil serait touché. Mais le tir était trop court. Toutankhamon eut le temps de voir la flèche érafler la joue droite et le sang perler avant d'être tiré à bas de son char.

Il n'avait plus la sensation de faire partie de son corps. D'en haut dans les airs, il les vit le contraindre à s'agenouiller, lui ligoter les bras. Les deux hommes détruisaient leur cœur et leur âme pour toute éternité en commettant ce forfait. Il ne pouvait distinguer leurs traits ; d'ailleurs il ne le voulait pas. Deux autres renversaient le char avec une précipitation fiévreuse. Deux autres encore jetaient le cadavre de l'homme qu'il avait tué en travers de son cheval, qu'ils avaient rattrapé. Le vent qui avait détourné ses appels à l'adresse de ses amis recouvrait de sable le désordre de leurs traces. Lorsque Néhésy arriverait, il ne resterait aucun signe de ce qui s'était passé. Excepté le corps de Shérybin. Qu'en feraient-ils ?

Mais sous ses yeux, d'autres cavaliers, opérant avec la même hâte silencieuse, tirèrent le cadavre du conducteur vers le char. Ils le placèrent sur une roue du véhicule, comme s'il y avait été projeté par le choc. Le glaive soigneusement essuyé fut remis à sa place. Et le vent poursuivait son œuvre tel un complice, effaçant les traces à mesure qu'elles se formaient.

Puis à nouveau la voix se fit entendre. On y sentait de la tension, mais il n'aurait pu dire, s'en fût-il soucié, si celle-ci avait pour cause la colère d'être blessé ou le sentiment d'urgence.

« Vite ! »

Il prit enfin conscience qu'ils ne l'avaient pas bâillonné. Il était toujours plié en avant, solidement ligoté, et ne pouvait emplir ses poumons. Mais il ouvrit la bouche et lança son cri de guerre. Soudain ce fut un cri désespéré, un appel à la vie. Ankhsi apparut devant lui, si nettement qu'il pouvait percevoir son odeur, goûter la saveur de son corps tendre, enfouir sa tête contre son sein. L'ardeur de son regret était insupportable.

Puis le coup tomba et, avant que viennent les ténèbres, il ne sentit que le sable dans ses narines et un filet de sang sur sa joue.

# 4

« Ce fut un accident ?

— Un accident de chasse, oui. Des plus tragiques. »

De la large fenêtre de la pièce, Huy avait vue sur une galerie à colonnade et, au-delà, sur le soleil trônant dans un ciel bleu dur. En bas, le Fleuve coulait entre ses rives brunâtres, occupées de ce côté-ci par l'enchevêtrement de maisons misérables qui formaient le quartier où il vivait.

Les deux jours écoulés depuis que le groupe de chasse avait rapporté en secret le corps du roi avaient été fertiles en événements, bien qu'aucune annonce publique n'eût été faite par les crieurs de rue. Dès le début de cet entretien, on avait bien fait comprendre à Huy que c'était un privilège de recevoir une telle information. Mais la cité se répandait déjà en rumeurs, et l'atmosphère se chargeait d'une tension indéfinissable que Huy avait même remarquée dans le quartier du port, où les gens se souciaient peu de Pharaon.

Il tâchait de se remettre du choc. Il observa Ay, debout près de la fenêtre. Avec l'âge, le corégent avait pris du ventre, mais son front intelligent et son profil d'oiseau avaient à peine changé. Des rides étaient apparues, la naissance des cheveux avait reculé ; mais ceux-ci étaient teints d'une nuance foncée, et Huy n'aurait eu aucune difficulté à identifier l'homme qu'il avait connu, de loin, à la cité de l'Horizon.

« Quand la nouvelle sera-t-elle divulguée ? demanda-t-il.

— Bientôt, nécessairement. Tu sais que l'on commence à craindre quelque chose. Ni le roi ni la reine n'ont été vus en public, et tout le monde trouve le fait étrange, surtout après l'annonce de la grossesse de Sa Majesté. »

Ay s'exprimait avec une raideur compassée qui, supposa Huy, était devenue une habitude après des années d'exercice politique.

« Pourquoi l'annonce en a-t-elle été retardée ?

— Horemheb en a décidé ainsi, expliqua Ay, secouant la tête. Bien entendu, il invoque des motifs de sécurité. Mais si la mort du roi était simplement un accident tragique, quelle raison y aurait-il de garder le secret ? »

La roue avait tourné, songeait Huy, tentant de reconstituer par déduction les éléments délibérément omis par son interlocuteur. Autrefois, à la cité de l'Horizon, Huy avait été scribe à la section juridique de la cour d'Akhenaton, et avait eu affaire de temps à autre à des collègues attachés au bureau de Ay. Après la chute d'Akhenaton et la ruine de sa cité, il avait imaginé que Ay avait péri ou bien avait trouvé refuge dans un proche pays ami — le Mitanni ou la Babylonie, peut-être —, et qu'il finirait ses jours en exil volontaire. Mais avant même que la cour eût regagné la capitale du Sud, il l'avait vu, aux côtés de Horemheb, escorter le jeune Toutankhamon lors du rite de l'Ouverture de la Bouche de son prédécesseur. Cet homme-là était visiblement de ceux qui s'entendent à survivre.

Huy était revenu à la capitale du Sud peu après et, la pratique de son métier lui étant interdite en raison de sa fidélité au pharaon déchu, il avait entrepris, un peu par hasard, de résoudre le genre d'enquêtes que les gens ne souhaitaient pas soumettre aux Mézai. Ses rapports avec les notables de la cité quelques années plus tôt semblaient enfin porter leurs fruits. Voilà qu'il avait été convoqué secrètement devant Ay, sur la recommandation de son ancien employeur, Ipouky, qui avait également réussi à réchapper sans mal à la chute d'Akhenaton.

Et voilà qu'on lui demandait d'élucider une mystérieuse affaire. Du moins la conversation semblait-elle s'orienter dans cette voie. Rapidement, il passa en revue les faits que Ay lui avait relatés.

Deux jours plus tôt, Néhésy et le groupe de chasse qui avait accompagné le souverain dans le désert s'en étaient retournés avec son char et son attelage, ainsi que les dépouilles du roi et de son conducteur. Devinant la clameur publique que susciterait son entrée dans la cité, et redoutant le sort qui l'attendait, lui qui portait la responsabilité de l'expédition, Néhésy avait fait en sorte de revenir à la nuit tombée. Il était alors allé trouver directement Horemheb, pour lui faire part de ce qui était arrivé.

« Et ensuite ? » demanda Huy au vieillard.

Tous deux étaient assis près d'une table basse où l'on avait placé du vin et des dattes, geste d'hospitalité avant tout symbolique. Le sujet qui les préoccupait était trop grave pour être débattu en mangeant et en buvant. Ay esquissa un haussement d'épaules.

« Toutes les informations que je puis te donner sont celles que je tiens de Horemheb, garde toujours cela à l'esprit. Bien entendu, force lui fut de partager immédiatement la nouvelle avec moi. Je venais de me retirer pour lire quand son messager vint me chercher.

— Où se trouvaient les corps ?

— Nous les fîmes porter au palais. Le conducteur de char fut couché dans ses appartements et le roi installé dans la salle d'audience. La première mesure consista à appeler les médecins puis à prévenir la reine. »

Huy changea de position sur son siège, à la pensée que l'isolement de la reine ne servait pas seulement les intérêts de Horemheb, mais aussi ceux de Ay. Celui-ci n'avait pas de fils ; et Huy, non sans finesse, avait idée que son ambition ne se bornerait pas à voir sa fille Nézemmout devenir reine, et que si Horemheb venait de perdre un fils, Ay avait lui-même perdu un petit-fils. Nézemmout pouvait concevoir d'autres enfants. Ay pouvait prendre une épouse plus jeune et tenter d'engendrer lui-même des héritiers. Ni Horemheb ni lui ne voudrait courir le risque de voir Ankhsenamon donner le jour à un enfant mâle.

« Comment est la reine ? s'enquit-il.

— Folle de douleur.

— Que va-t-elle devenir ?

— Que pourrait-il lui arriver ? répliqua Ay d'un air surpris. Elle restera au palais. Elle porte peut-être le futur pharaon. Les dieux pourraient même décréter, si une fille venait à naître, qu'elle régnerait sur la Terre Noire avec tous les pouvoirs d'un pharaon. Cela s'est déjà vu.

— Et entre-temps ?

— La question se pose encore. Nous devons implorer les dieux de nous guider. J'imagine une nouvelle régence — mesure toute provisoire, pour la stabilité du pays. Contrairement à Sémenkhkarê, le roi est mort sans laisser de proche parent à qui la couronne pourrait revenir, hormis l'enfant en gestation dans la matrice de la reine.

— Quelles sont les circonstances de l'accident ?

— Cela, je l'ignore. Mais j'ai vu les blessures. Elles sont effroyables. Le conducteur a presque été coupé en deux par une des roues.

— Et le roi ?

— Il a sans doute été projeté quand le char s'est renversé, et sa tête aura heurté un rocher.

— Telles sont les conclusions des médecins ?

— Oui. Elles s'imposaient d'elles-mêmes. D'ailleurs, il n'y a aucun motif, vraiment, de soupçonner autre chose qu'un accident, quoique la raison pour laquelle le pharaon chassait seul avec son conducteur demeure un mystère. Rien ne porte à croire que la faute en incombe aux autres membres du groupe, aussi leur a-t-on épargné la mort. »

Ay se servit du vin et but à petites gorgées rapides. Huy remarqua sa lèvre inférieure, humide et molle. L'ancien scribe se plongea dans ses réflexions, puis déclara d'un ton solennel :

« Quelle tragédie pour la famille du roi, et pour le pays !

— Certes, approuva Ay. Et la reine reste seule. »

Huy attendit en silence de voir ce qui allait suivre ; mais apparemment le vieil homme lui laissait le soin de prendre l'initiative.

« Qu'attends-tu de moi ?

— En dépit de toutes les preuves, répondit Ay se penchant en avant, je ne crois pas à l'hypothèse d'un accident. L'enjeu est trop important, la coïncidence trop surprenante. Je veux que tu découvres ce qui s'est réellement passé. Je peux te fournir des fonds, je peux te donner des noms, mais je ne peux t'aider davantage. Comprends-tu ?

— Oui.

— Le feras-tu ?

— Ce sera difficile.

— Je me suis laissé dire que la difficulté n'était pas pour te décourager.

— Donne-moi le temps d'élaborer un plan, ensuite je te ferai mon rapport. »

Ay agita une main dolente.

« Je ne souhaite pas connaître tes plans, et tes contacts avec moi doivent rester secrets. Je t'enverrai un émissaire quand je considérerai la chose sans danger. Sois dans tous tes actes aussi discret que possible. Je t'ai choisi parce que j'ai confiance en Ipouky, et parce que, en dépit de ta valeur évidente, tu es peu connu dans la cité.

— Quel but poursuis-tu ?

— Si tu acceptes cette tâche, je deviens ton employeur. Mon but ne te concerne pas. Mais en homme intelligent que tu es, tu tireras tes propres conclusions. Sois assuré que je récompenserai la loyauté, Huy. Tout aussi sûrement que je châtierai la trahison.

— Il me faudra avoir accès au quartier palatial.

— J'arrangerai cela. Mais tu ne peux porter ma livrée. Rien ne doit suggérer de lien entre toi et moi. Je ferai en sorte que tu sois attaché au palais comme assistant d'un prêtre. On fait préparer le *Livre des Morts* que le roi emportera dans la tombe.

— Que vais-je faire ? Je ne puis travailler en qualité de scribe.

— Je le sais, Huy. Tu n'auras probablement rien à faire du tout. Bien des gens au palais sont dans cette situation ! L'essentiel est que l'insigne de ta fonction te permette de franchir la garde.

— Il faudra que je parle au veneur. Il faudra que je voie le char, que je visite le lieu de l'accident.

— Tout cela me paraît clair. Quant à la façon dont tu t'y prendras, c'est ton affaire. »

Les jours suivants filèrent au rythme des manifestations publiques, mettant Huy dans l'impossibilité de faire davantage que d'ébaucher des plans et d'assimiler les données dont il disposait. De toute évidence, il allait s'aventurer dans des eaux plus profondes que jamais ; et il ne se fiait pas plus à celui qui le payait qu'à quiconque ayant pu être impliqué dans la mort du roi. S'il ne s'agissait pas d'un accident... Rien n'indiquait encore qu'il en fût autrement, et peut-être seul l'esprit tortueux de Ay voyait-il un complot là où il n'y en avait pas.

A l'annonce de la mort, des messagers à cheval — plus rapides que les navires du Fleuve — furent dépêchés les uns vers le Delta, les autres vers Méroé, afin de répandre la nouvelle du nord au sud. La cité se prépara à la période initiale de deuil, longue de soixante-dix jours, durant laquelle les embaumeurs apprêteraient le corps pour le tombeau. De nombreuses équipes supplémentaires d'ouvriers furent exemptées de l'inactivité imposée par le deuil et envoyées dans la Vallée pour accélérer les travaux dans la sépulture du roi. Ceux-ci n'ayant débuté qu'après son avènement, neuf ans plus tôt, l'hypogée ne serait pas prêt à accueillir convenablement le souverain, mais devrait remplir au mieux sa fonction. D'aucuns jugeaient indécente la célérité avec laquelle l'ouvrage était exécuté, mais les ordres émanant du palais lui-même, personne ne pouvait les critiquer ouvertement.

Huy trouvait cette précipitation intéressante. Apparemment, Toutankhamon ne jouirait guère de la dignité normalement associée avec les obsèques d'un monarque. Venus de toutes les régions du pays, les offrandes et les meubles funéraires étaient rassemblés en hâte par le contremaître des tombeaux royaux. Ils seraient exposés aux regards du public pendant un mois avant d'être envoyés dans la chambre mortuaire. Huy alla les voir, et s'affligea de leur médiocrité. Certains des objets d'apparat avaient été raflés sans vergogne dans le tombeau de Sémenkhkarê, et quoique la finesse de l'exécution, les sculptures et le volume de métal précieux et de joyaux fussent dignes d'un roi, Huy qui, enfant, avait contemplé la grande mise au tombeau de

Nebmaâtré Aménophis[1] fut peiné en voyant avec quelle désinvolture on traitait le jeune pharaon. Il était certain que si sa veuve en avait eu le pouvoir, elle aurait fait en sorte d'empêcher tant de mesquinerie.

Pauvrement vêtu, Huy passa le Fleuve sur un des bacs noirs et rendit visite aux bâtisseurs des tombeaux. La plupart d'entre eux, couverts de sueur et de poussière, étaient trop occupés pour bavarder, mais il reconnut un contremaître dont il avait fait la connaissance autrefois[2], et qui se souvenait de lui.

« Salut à toi, dit l'homme en le dévisageant. Cela fait des années... Elles n'ont pas l'air de t'avoir été douces.

— Je m'en sors tant bien que mal.

— Et plutôt mal que bien, à en juger par ta mise. Viens te désaltérer. »

Ils s'abritèrent sous un auvent formé par une vieille bâche tendue sur des pieux de bois, et le contremaître brisa les sceaux d'argile de deux jarres de bière noire qu'il tenait au frais dans une bassine d'eau. Ils burent en silence, contemplant, au bas de la vallée aride, le cours paresseux du Fleuve. La saison s'avançait. Peut-être toute cette précipitation était-elle due en partie à la nécessité d'inhumer le roi avant la crue. Déjà, à peine perceptibles, flottaient les premières traces du sable rouge annonciateur.

« Comment progressent les travaux ?

— A la va-vite. Mais pour l'essentiel les tunnels étaient déjà percés, il ne restait donc plus qu'à appliquer le plâtre et les couleurs. Une grande partie des dessins étaient esquissés, si bien que ça n'aura pas trop mauvaise allure quand nous aurons fini.

— On peut voir ?

---

1. Aménophis III. (*N.d.T.*)
2. Cf. *La Cité de l'Horizon*, coll. 10/18, 1995, n° 2568.

— Tu t'intéresses de près à l'étude de ces choses, on dirait ! dit le contremaître en riant. Tu peux voir l'antichambre. Au-delà, le tracé est secret. »

Huy accepta, finit sa bière et pénétra dans le tombeau. A l'intérieur il faisait frais, mais les hommes qui travaillaient à la lumière de lampes à huile luisaient de sueur. Il remarqua une fresque encore humide, les contours à peine délimités, le peintre se préparant à la mise en couleurs. Elle représentait une large assemblée. Ay, dépeint comme il se plaisait à l'être sous les traits d'un homme jeune et vigoureux, vêtu d'une tenue digne d'un roi, accomplissait le rite de l'Ouverture de la Bouche sur Toutankhamon.

L'œuvre témoignait d'un respect irréprochable. Mais Huy jugea troublant que Ay, sur les ordres duquel elle était sans doute exécutée, se fût arrogé l'honneur qui devait échoir au successeur de Pharaon.

« Sais-tu quand cette peinture a été commandée ? demanda-t-il au peintre, un homme grassouillet aux seins pendants et aux yeux prudents.

L'artiste jeta un bref regard sur lui.

« A la mort du roi », répondit-il à mi-voix, avant de reporter toute son attention sur sa besogne.

Huy reprit pensivement le chemin de la cité, et fut heureux de retrouver la fraîcheur et la solitude de sa petite maison. Il ôta son déguisement d'ouvrier et se baigna, s'interrogeant sur le sens de la fresque. Horemheb n'était nulle part représenté dans le tombeau ; mais cela pouvait s'expliquer par le fait que le général venait de se marier dans la famille royale, et, sûr de son pouvoir, préférait peut-être garder ses distances. Toutefois, Ay faisait valoir son droit de préemption avec un zèle excessif et vulgaire. Espérait-il ainsi gagner la faveur du *ka* du pharaon ? Certes, les présents funéraires les plus somptueux venaient de lui. Si Horemheb et Ay s'étaient engagés dans la course au trône, Ay y avait le droit le plus fort ; mais son pouvoir était moindre. Quant à la reine, elle se trouvait prise entre deux feux.

Plus Huy pensait à elle, plus il était inquiet. Si elle n'était pas protégée efficacement, elle risquait d'être retranchée du monde des vivants sans laisser de trace. Il était peu probable que sa tante intercéderait en sa faveur, et pour Ay, son grand-père, le lien familial était trop lâche pour peser dans la balance face à son ambition. Il était son allié potentiel, mais c'était un maigre réconfort car s'il montait sur le trône, il se montrerait sans doute peu clément envers la mère de l'héritier légitime.

Durant son premier jour au palais, Huy se fit discret et se contenta d'observer. A son arrivée, il avait découvert qu'il n'était attaché à aucun prêtre particulier de la maison, mais le mouvement et l'activité étaient tels que personne ne le remarqua ni ne se soucia de lui. Un garde se montra soupçonneux en le voyant s'attarder dans une cour intérieure plus longtemps que nécessaire, mais fut immédiatement rassuré par l'insigne que lui présenta l'ancien scribe. Le garde était jeune, et Huy se demanda non sans malice si c'était l'insigne qui avait opéré cet effet, ou le fait qu'il était arboré par un gaillard de trente-sept ans aussi musclé qu'un batelier. Ce n'était pas la première fois qu'il trouvait à se louer de son apparence peu engageante et dure, qui ne s'accordait ni avec sa profession ni avec sa nature.

Le palais lui-même était un dédale compliqué de salles et d'édifices communicants, et la journée était déjà bien avancée quand Huy parvint à trouver le corps de logis occupé par les piqueurs. En rôdant, il avait remarqué une lourde garde postée devant la salle d'audience où gisait le roi défunt, entouré de linges humides remplacés toutes les heures, dans l'attente du moment

— tout proche — où il serait emporté à travers le palais jusqu'au bâtiment étroit, ouvert à ses extrémités, qui abritait les embaumeurs royaux. Là commencerait la préparation à l'éternité, aboutissant, soixante-dix jours plus tard, à une momie desséchée et bandelettée, dormant dans trois sarcophages de cèdre et d'or.

Le quartier des piqueurs était situé près des écuries, au bord du Fleuve, du côté occidental de l'enceinte et donc à quelque distance des édifices royaux. Les animaux vivaient dans un grand abri en cèdre. Au-delà s'étendait un enclos pour les chevaux, dont quelques-uns s'agitèrent avec inquiétude à son passage. Sept bâtiments de petite taille étaient disposés en croissant derrière l'enclos, celui du centre étant le plus grand. Escortés par deux gardes du palais, quatre hommes chargeaient un corps enveloppé d'un linceul sur un char à bœufs long et étroit, qui attendait près du bâtiment le plus au nord. Huy les vit déposer doucement le corps au fond du char et le recouvrir de rameaux de palmier. Un des hommes claqua la langue et les bœufs avancèrent pesamment vers la route du nord-est, dans la direction d'où Huy était venu.

Il était en nage et avait les pieds endoloris, car il s'était égaré deux fois. Deux autres hommes étaient en vue, des garçons d'écurie à en juger par leur allure. L'un s'approcha de lui, l'air curieux. Huy présenta l'insigne de sa fonction.

« Je cherche Néhésy, dit-il.

— Qui le demande ?

— Moi. Je viens du palais. C'est au sujet des chiens du roi.

— Oui ?

— Leur présence sera requise dans la procession.

— Ça sera pas avant deux mois.

— Tu ne comprends pas, répliqua Huy avec hauteur. Tout doit être planifié longtemps à l'avance et non bâclé à la dernière minute. A qui crois-tu donc parler, rustre ?

— Néhésy est avec les bêtes, dit l'homme, grattant sa nuque enflammée par des furoncles.

— Fais-le venir, ordonna Huy, espérant qu'il n'en faisait pas trop. Non ! Attends.

— Quoi ?

— Qui vient-on d'emporter ?

— Tu n'as pas ça dans tes registres, organisateur ? C'était Shérybin.

— Pourquoi y avait-il des gardes ? »

Huy se rappela ceux placés devant la salle d'audience. C'était moins remarquable ; toutefois, il était inhabituel de poster des gardes auprès d'un cadavre.

« A toi de me le dire.

— On l'emporte chez les embaumeurs ?

— Il est grand temps, opina l'homme. Ça faisait quatre jours qu'il était là.

— Il fallait pourvoir aux préparatifs.

— Je m'en doute. »

L'homme le dévisageait en grattant ses furoncles.

« Pourquoi restes-tu à béer ? Va chercher Néhésy ! » jeta Huy d'un ton sec.

Tout en attendant au soleil, il répéta dans son cœur ce qu'il allait dire. Il s'était peu préparé, car il souhaitait d'abord prendre la mesure du Grand Veneur et juger s'il fallait plutôt voir en lui un allié ou un ennemi.

A tort ou à raison, il aima l'allure du géant qui vint à sa rencontre. Néhésy était un grand loup, aussi solidement charpenté que lui et à peu près du même âge, mais presque deux fois plus grand, si bien qu'il portait mieux son poids. Il avait un regard franc et généreux, un nez et une bouche imposants, des grands traits qui le faisaient paraître encore plus impressionnant. Pour l'instant il considérait Huy avec une curiosité mêlée d'agacement. C'était un homme qui, manifestement, n'avait pas l'habitude de recevoir des ordres, et l'on voyait rien qu'à son expression qu'il avait son idée sur les fonctionnaires du palais, surtout de rang subalterne. Mais ne craignait-il pas pour son avenir, lui qui avait veillé aux préparatifs de la chasse fatale ?

Ils se saluèrent avec cérémonie.

« C'est à propos des chiens ? dit Néhésy.

— Oui.

— Qu'est-ce que c'est ?

— Pouvons-nous parler à l'abri du soleil ?

— On supporte mal la chaleur, pas vrai ?

— Comment peux-tu dire ça à un habitant de la Terre Noire ? »

Néhésy parut décontenancé puis, à la surprise de Huy, il sourit.

« Viens. J'étais en train de leur donner à manger. J'ai toujours aimé le faire moi-même. D'ailleurs ils me connaissent ; ils n'accepteraient leur nourriture de personne d'autre. »

Il tourna les talons sans ajouter un mot et le conduisit vers l'abri en cèdre.

La haute toiture apportait de la fraîcheur et le vent qui soufflait constamment du nord renouvelait l'air à l'intérieur. Quatre chiens, des bêtes souples blanc et feu, aux oreilles soyeuses, au museau allongé et à la queue en panache, traversèrent le vaste enclos, coururent à la rambarde de bois et poussèrent des jappements plaintifs en voyant Néhésy. D'un grand seau en bois de sycomore posé près du portail, il tira plusieurs poignées de viande découpée en généreuses bouchées qu'il déposa dans une mangeoire de l'autre côté.

« De l'antilope, indiqua-t-il. C'est la viande la plus saine, et je ne leur donne que ça. Maintenant, dis-moi ce que tu veux en réalité. »

Huy prit son temps pour lui répondre.

« Je mène une enquête sur l'accident. Simple routine pour les archives du palais, mais je ne pouvais le dire à ton homme car c'est confidentiel.

— Même lui a pensé que c'était un peu tôt pour choisir les chiens qui participeront à la procession vers le tombeau. Et il n'est pas plus futé qu'un cheval. Que puis-je te dire que je n'aie dit déjà ? demanda-t-il en finissant de remplir la mangeoire.

— A qui as-tu fait ton rapport ?

— Tu ne le sais pas ?

— Dis-le-moi quand même.

— A Horemheb, répondit Néhésy après une hésitation.

— Pourquoi ?

— Tu sais où en sont les choses, dit-il, évitant son regard. Je ne voulais pas porter le blâme pour ce qui s'était passé.

— Et que s'est-il passé, au juste ?

— Tu n'as donc pas lu mon rapport ?

— Je recueille des informations pour le palais. Ceci est une enquête indépendante. Rien à voir avec Horemheb.

— Vraiment ? dit Néhésy, dont les yeux devinrent prudents. Je vois... Je ferais tout au monde pour aider notre malheureuse reine. »

Du moment que cela ne te coûte pas ta tête ! pensa Huy, qui continua néanmoins à sourire.

« Garde notre conversation pour toi et il n'y aura pas de problème. »

Néhésy acquiesça. Le géant savait aussi bien que n'importe qui qu'on ne s'en remet pas aux dieux protecteurs pour éviter un coup de poignard dans le dos.

« Nous nous sommes réveillés juste avant l'aube, commença-t-il. Le cuisinier avait attisé le feu et mis l'eau à bouillir pour le *foul*. A part lui, j'étais le premier debout. J'ai remarqué que la tente du roi était fermée et aussitôt que son char avait disparu. Alors, crois-moi, j'ai senti les griffes de Seth se refermer sur mon cœur. »

Il se tut, observa Huy. Les chiens avaient eu tôt fait de vider la mangeoire, mais comme il s'attardait près de leur enclos, ils restaient à proximité, le fixant de leurs yeux jaunes pleins d'espoir.

« J'ai couru à la tente de Shérybin et, bien entendu, lui aussi avait disparu. Puis le dernier garde de faction est venu m'aviser qu'un des traqueurs était revenu au campement une heure avant les autres, rapportant la présence de taureaux sauvages. Le roi s'était mis en route peu après, avec l'homme et Shérybin.

— Quelle a été ta réaction ?

— Au début, la fureur. C'est à moi, non à un conducteur de char, que les traqueurs doivent faire leur rapport. Mais je savais que le roi se serait lancé à la poursuite de n'importe quel gibier valable. La chasse avait été mauvaise, et des taureaux sauvages à cette époque de l'année, c'est un fait presque sans précédent.

« J'ai fait lever le camp. Nous avons éteint le feu et préparé les chars. Je n'ai laissé que deux hommes sur place pour garder les tentes. Le reste d'entre nous est parti à la recherche du roi.

— Faisait-il jour ?

— Le soleil allait poindre. Nous allions à fond de train, mais sans lancer d'appels. Si vraiment ils avaient trouvé des taureaux sauvages, nous ne voulions pas gâcher la chasse. Et enfin nous avons vu le char au loin. »

A ce souvenir, Néhésy s'interrompit en frissonnant.

« J'ai pensé : " C'en est fait de moi. " Mais en même temps, j'ai craint pour le roi, ajouta-t-il aussitôt en surprenant l'expression de Huy.

« Je ne m'explique pas comment cela a pu se produire, reprit-il. En plein désert ! Et avec Shérybin, un des meilleurs conducteurs de char que j'aie jamais connus... Une rêne a dû claquer, ou alors une autre pièce de l'attelage a rompu. Cela ne peut être que ça, car nous n'avons pas trouvé les chevaux très loin. Ils étaient affolés, mais sans une égratignure. Le pire, c'était le char. Il était d'un nouveau type, plus lourd et plus stable : il doit être arrivé quelque chose pour qu'il se renverse... Pauvre Shérybin... Si tu l'avais vu ! Sais-tu dans quel état nous l'avons trouvé ?

— Oui.

— Le roi gisait à faible distance, face contre terre et les bras en croix, comme s'il embrassait Geb.

— Comment est-il mort ?

— L'arrière de son crâne était fracassé. »

Huy resta silencieux, essayant de visualiser la scène. Mais les seules images que suscitait son cœur étaient celles du sable tourbillonnant en spirales dans un désert gris.

« Pas même les traqueurs n'ont pu trouver la trace du bétail qu'ils étaient censés suivre, dit Néhésy.

— Et celui qui les avait lancés sur la piste ? Est-il revenu ?

— Personne ne l'a jamais revu.

— Depuis combien de temps était-il avec toi ?

— Je ne sais pas, la moitié d'une année peut-être. Mais tu connais les gens des campagnes. En voyant l'accident, il a probablement pris peur et s'est enfui dans le désert. On peut y survivre indéfiniment si l'on sait s'y prendre. D'après moi, il s'est enrôlé sur un navire à destination du Pount. On a déjà entendu parler de gens assez terrorisés pour ça.

— Et Shérybin, tu le connaissais depuis longtemps ? »

Néhésy réfléchit.

« Au moins un an. En dépit de sa jeunesse, c'était

un conducteur émérite. C'est pourquoi je le laissais mener l'attelage du roi.

— S'entendaient-ils bien ?

— Comme des frères. »

Les chiens, n'espérant désormais plus rien de leur maître, étaient retournés s'allonger contre la barrière de l'enclos. Deux avaient la tête posée sur leurs pattes. Les autres continuaient à les observer d'un œil attentif, entre deux bâillements.

« Où est le char, à présent ?

— Horemheb l'a gardé, dit Néhésy, qui parut surpris de cette question.

— Pas les chevaux, toutefois ?

— Non. Ils ont repris leur place aux écuries.

— Comment a-t-il accueilli ton rapport ?

— Il s'est montré satisfait, déclara Néhésy d'un ton de défi, comme si Huy devait se le tenir pour dit.

— Puis-je voir les chevaux ?

— Bien sûr. »

Ils sortirent du chenil et se retrouvèrent au grand soleil. Les coursiers étaient calmes, debout dans l'ombre rare que dispensaient les palmiers plantés à cet effet dans l'enclos. Néhésy ouvrit le portail et conduisit Huy vers eux. A l'odeur d'un inconnu, ils piaffèrent d'inquiétude et l'un d'eux coucha ses oreilles en arrière. Mais la présence de Néhésy les rassura.

« Lesquels conduisait-il ? voulut savoir Huy.

— Ces deux-là », répondit le veneur, caressant le col de deux bêtes vigoureuses placées côte à côte.

Citadin par nature et par inclination, Huy n'avait guère eu l'occasion d'approcher des chevaux, mais ils le fascinaient par leur exotisme et leur valeur. Il s'avança timidement et fut ravi de la douceur de ceux-ci, de la gentillesse avec laquelle ils réagissaient au contact de ses mains. Il examina attentivement les flancs et les cuisses frémissantes, où tressautait un muscle. Leur queue chassait sans répit les mouches bourdonnantes. Il n'y avait de marque sur aucun d'eux.

« Je ne connais rien à ces animaux, dit-il en se redressant, mais si le harnais avait claqué, si le char avait versé alors qu'ils étaient encore attelés, leur peau ne présenterait-elle pas de blessure, ou du moins une marque de brûlure ? »

Néhésy le dévisagea avec étonnement.

Beaucoup plus tard, fatigué, Huy était assis au soleil, se chauffant à ses rayons comme un lézard. Avec la même immobilité, il laissait son cœur passer en revue les événements de la journée.

Tous n'avaient pas été aussi gratifiants que sa rencontre avec Néhésy. Le veneur, le croyant en mission officielle, lui avait indiqué où trouver le char, mais sans préciser qu'il était sous séquestre. Des gardes, Huy apprit l'imminence d'une enquête judiciaire et, s'étant enquis de l'origine de cette décision, ne fut pas surpris d'entendre qu'elle provenait du bureau de Horemheb. En soi, cela n'était pas inhabituel ; cependant, il était plus décidé que jamais à examiner le char.

Comme il s'en doutait, il ne trouva pas le moyen de voir les corps. Tous deux subissaient les étapes initiales de l'embaumement, couverts des sels blancs de natron qui les dessécheraient, exprimant l'huile et l'eau qui dans la vie alimentaient l'homme mais qui dans la mort le corrompaient. La garde mézai disposée autour des écuries palatiales où le char était entreposé, de même que devant le bâtiment des embaumeurs, semblait plus importante que Huy ne l'eût jugé nécessaire, mais, sous Horemheb, la Terre Noire était devenue un lieu où la poigne des chefs se faisait sentir. Dans les quelques années du règne de Toutankhamon, l'ancien pouvoir du roi, qui bien qu'absolu restait lointain et bénin tel le soleil, avait été remplacé par une autorité doutant d'elle-même, d'essence moins divine ; une puissance qui avait besoin de s'affirmer par des déploiements de force, par l'instauration d'une menace tacite envers quiconque la mettrait en question. Si Akhenaton avait délivré les hommes, brisant les fers qui les tenaient asservis aux dieux, il avait ce faisant sacrifié leur innocence. En encourageant l'homme à penser par lui-même, il avait obligé les gouvernants à forger des chaînes encore plus lourdes pour contrôler leurs sujets. Un pessimiste aurait pu dire que seule la présence de Ay avait jugulé l'immense ambition de Horemheb ; mais peut-être l'ambition de Ay lui-même avait-elle franchi sa limite naturelle alors que, roturier de naissance, il voyait approcher la possibilité de monter sur le Trône d'Or.

Huy avait bavardé avec les gardes et les avait quittés en termes cordiaux, se ménageant la possibilité d'une nouvelle conversation après sa prochaine entrevue avec Ay. Mécontent de la difficulté de liaison entre eux, il attendait avec impatience la venue du messager. Mais Ay était, semblait-il, tout aussi impatient de renouer le contact car son agent arriva peu avant le crépuscule, attirant l'attention par ses airs furtifs comme ceux qui se trouvent précipités dans des activités clandestines dont ils n'ont pas l'expérience. C'était un petit homme de trente ans aux manières onctueuses, au ventre gras, aux épaules molles, qui arborait un bouc huilé et tressé. Ses yeux noirs avaient un regard méfiant et nerveux, et il passait constamment la langue sur sa lèvre inférieure pour l'humecter.

« Me guettais-tu ? demanda-t-il lorsque Huy lui ouvrit la porte.

— Oui.

— Pourquoi ? interrogea l'homme, redoublant de méfiance.

— Je t'attendais, expliqua Huy en haussant les épaules.

— Tu n'as vu personne me suivre ?

— Si quelqu'un te suivait, alors je ne l'ai pas vu. Mais il ne serait pas venu sur la place. Il serait resté à couvert dans une des rues adjacentes et t'aurait observé de sa cachette pour savoir dans quelle maison tu pénétrerais. »

Il contint son amusement en voyant l'homme se recroqueviller sur lui-même.

« Est-ce qu'ils t'épient toujours ?

— Qui ?

— Les Mézai ! dit l'homme avec un geste d'impatience.

— Ma foi, j'aurais cru que tu en saurais plus long que moi à ce sujet.

— Je travaille pour Ay, pas pour Horemheb ! répliqua l'homme, plus vertement qu'il n'en avait eu l'intention car, voyant l'expression de Huy, il se radoucit : C'est que, vois-tu, d'ordinaire ma tâche se borne à des devoirs domestiques. Je n'ai pas l'habitude de tout cela. Mon nom est Inény.

— Puissent le Soleil te réchauffer et le Fleuve te rafraîchir. »

Cette salutation dans les formes contenta Inény, qui se détendit.

« Ne t'inquiète pas, ajouta Huy. Il y a longtemps que les Mézai ne s'intéressent plus à moi. Je n'ai pas fait grand-chose qui puisse attirer leur attention, et je soupçonne qu'on ne me considère plus comme un danger pour l'État. J'imagine que Ay sait cela. Bien sûr, il me faudra être discret à présent.

— En effet. »

Huy apporta de la bière et du pain. Inény but à longs traits, avec gratitude.

« M'apportes-tu un message ? demanda Huy.

— Non. Ay m'envoie écouter ton rapport.

— Que croit-il que j'aie découvert, en si peu de temps ?

— Tu as une certaine réputation, semble-t-il, dit Inény non sans causticité.

— Il y a encore peu à dire, cependant je désire une nouvelle entrevue avec ton maître.

— Cela me paraît difficile. Il veut limiter au maximum les contacts directs avec toi. Par exemple, je suis venu directement de chez moi. Il m'a indiqué ce que je devais dire au cas où l'on m'arrêterait. Que je venais te consulter pour affaire personnelle.

— Voilà qui est fort astucieux. Néanmoins, j'ai besoin de le voir.

— Je transmettrai ta requête. Ne pourrais-je ?...

— Non. Il faut que je lui parle en privé. Dis-lui que, d'après ce que j'ai appris, il ne me sera pas possible d'exécuter ce travail s'il ne m'accorde pas toute sa coopération.

— Tu veux que je le lui répète en ces termes ? demanda Inény d'un air piteux.

— Précisément. N'aie crainte, Inény. C'est moi qui fais preuve d'insubordination, pas toi.

— Le messager porte le blâme de la nouvelle qu'il communique.

— Tout travail comporte des risques.

— Il n'y a vraiment rien que tu puisses me dire dès maintenant ? insista Inény en reprenant de la bière rouge.

— Non. »

Inény dut se contenter de cette réponse et partit peu après. Une fois débarrassé de l'émissaire, Huy sortit et, dans les rues sur lesquelles l'obscurité tombait, prit la direction du quartier du palais.

Le cœur de Néhésy commençait à envisager la possibilité que la mort du roi ne fût pas accidentelle, et il se montra empressé à se rendre utile.

« Mais tu dois être discret, l'avertit Huy. Pas un mot de tout cela à quiconque. Je travaille sous les ordres directs de la reine, et si mon enquête cessait d'être secrète, eh bien, inutile de te dire quelles en seraient les conséquences, pour nous et pour elle. »

Huy espérait que la menace suffirait à en imposer à ce paysan.

« Je veux découvrir ce qui s'est passé. Je ne ferai rien qui puisse compromettre ton enquête. »

Devant la dignité de Néhésy, Huy se sentit honteux de l'avoir traité comme un rustaud.

Ils partirent avant l'aube, comptant revenir peu après le point du jour afin que l'absence du Grand Veneur passât inaperçue. Toutefois, comme c'était le Dixième Jour — jour du repos —, il était peu probable que l'on s'en apercevrait. Les chevaux n'en souffriraient pas, car les palefreniers les nourriraient dès le matin. Quant aux chiens, comme Néhésy l'expliqua avec sollicitude, il ne leur donnait leur ration de viande qu'une fois par jour, dans l'après-midi.

Ils partirent seuls sur son char, un vieux modèle en bois d'acacia, aux essieux en sycomore plaqué de bronze et aux ferrures du même métal. Néhésy attela deux chevaux et libéra Pépi et Ypou du chenil. Les chiens s'élancèrent en glapissant de plaisir, tandis que leurs compagnons, tirés du sommeil, faisaient quelques pas avant de se recoucher. Néhésy leur frotta le museau et les caressa sous le menton.

« On ne remarquera pas leur absence ? s'inquiéta Huy.

— Par les grands dieux, je n'aimerais pas faire ton métier ! A quoi ça ressemble d'avoir à regarder continuellement par-dessus son épaule ? J'ai dit à mon épouse que j'emmenais un particulier à la chasse pour mon propre compte. En principe, cela ne se fait pas, mais c'est mon jour de repos et de temps en temps je laisse mon personnel agir de même. Cela fait un peu d'argent en plus, et nombre des fonctionnaires du palais sont de bons clients. Et puis, il y a autre chose.

— Quoi donc ? »

La grande face de loup s'épanouit en un généreux sourire.

« Je suppose que tu ne me croiras pas, mais ici, il n'y a pas d'espions. »

Le regrettant dans son cœur, Huy, en effet, ne le crut pas.

Le veneur poussa le char hors de l'enceinte. Les chiens les devançaient en folâtrant, revenaient vers eux pour s'élancer à nouveau, s'assurant qu'ils suivaient bien la direction voulue par leur maître, car même s'ils étaient la propriété du palais, ils étaient avant tout les chiens de Néhésy.

Dès qu'ils eurent quitté la cité, ils prirent de la vitesse. Néhésy montra à Huy comment caler son pied sous la sangle de cuir fixée au fond du char, afin de s'assurer un meilleur équilibre pendant qu'ils fonçaient sur le sable ferme en direction du sud. Les chiens, sûrs de la route à prendre, étaient hors de vue.

Peu habitué à cette forme de transport, Huy se campa fermement sur ses jambes et agrippa la poignée à l'avant, tâchant de fléchir les genoux pour amortir les cahots des roues sur les sillons de sable façonnés par le vent. La brise sur son visage, il regardait les chevaux s'élever et retomber, crinière au vent. Sous eux, le sol se brouillait, gris dans la clarté lunaire. Ils filèrent à une vitesse croissante, jusqu'à ce que Huy en eût le souffle coupé. Alors Néhésy tira sur les rênes en émettant un claquement de langue. Les chevaux ralentirent immédiatement et décrivirent un large demi-cercle avant de s'immobiliser là où les cendres d'un feu étaient encore visibles.

« C'est ici que nous avons campé, dit Néhésy. Tu

peux voir les pierres que nous avons empilées pour maintenir les coins des tentes. »

Il indiqua de petits tumulus de pierres disposés à intervalles réguliers. Les pieux avaient sans doute été enfoncés dans les quatre entassements plus importants qui se trouvaient au centre.

« L'ouverture des tentes était orientée vers le nord ?

— Comme toujours, pour intercepter le vent.

— Si bien que personne n'aurait pu voir le roi s'éloigner, et le suivre ?

— Tous étaient ici, à part le roi, Shérybin et le traqueur, quand nous sommes partis sur leurs traces. »

Huy descendit du char. La lumière dure de la lune donnait aux tas de pierres un relief saisissant. Au centre du campement abandonné, le char semblait sorti d'un rêve. Les chevaux dressèrent la tête, sur le qui-vive, et les chiens apparurent à la lisière de l'obscurité, des éclairs argentés dans les yeux, retrouvant l'ardeur de leurs ancêtres sauvages. Un lézard fila sous un des tumulus et une masse de sable se souleva et retomba près du pied de Huy, tandis qu'au-dessous une petite créature fouissait plus profondément en percevant le danger.

« T'es-tu souvent installé à cet endroit ? demanda-t-il à Néhésy, la voix forte et rude dans le velours de la nuit.

— En saison, une ou deux fois par mois.

— Et tout aussi souvent, dernièrement ?

— Non, moins. »

C'était ce qui expliquait cette atmosphère désolée. A moins qu'il n'y eût ici un fantôme... Huy observa Néhésy, qu'aucune présence inconnue ne semblait émouvoir. Les animaux n'étaient pas nerveux. Peut-être était-ce le fait de se trouver en plein désert la nuit, à cette heure précédant l'aube où les légions de Seth étaient les plus puissantes, où la plupart des hommes mouraient et la plupart des hommes naissaient, où le roi sous terre préparait sa renaissance, concentrant en lui-même tout son pouvoir... Oui, peut-être n'était-ce que cela.

Mais cette sensation ne quitta pas Huy tandis qu'il remontait dans le char.

« Conduis-moi à l'endroit où tu l'as trouvé. »

Le veneur fit faire demi-tour à son attelage, et ils poussèrent vers le sud, à un rythme plus lent cette fois. Le soleil se levait sur un vide immense. Au loin à l'est, devant des collines basses, un groupe de palmiers indiquait la présence d'une petite oasis. Hormis cela, il n'y avait rien, mais les chevaux allaient l'amble comme sur une route.

Ils continuèrent pendant une heure avant que Néhésy ne fît halte.

« C'était ici », dit-il.

Huy regarda autour de lui. Pour autant qu'il pût en juger, rien n'indiquait que l'endroit où ils venaient de s'immobiliser fût différent de ceux qu'ils avaient traversés, ou vers lesquels ils auraient pu se diriger. L'idée germa dans son cœur que si on lui avait tendu un piège, il avait foncé dedans tête baissée. Avait-il trop facilement accordé sa confiance à Néhésy ? Si les années passées à exercer sa nouvelle profession lui avaient enseigné une chose, c'était de ne surtout pas se fier à ceux qui semblaient francs.

« Comment le sais-tu ? » demanda-t-il, observant les alentours sans quitter le char.

Contre son dos, dans la ceinture de son pagne sous son manteau, il sentait le manche en corne de son poignard. Quant à savoir s'il parviendrait à se défendre face à son compagnon, c'était une autre affaire.

« J'ai laissé un repère, expliqua Néhésy, qui sauta du véhicule et s'approcha d'un javelot enfoncé dans le sol. Le vent a effacé toutes les traces. D'ailleurs, il n'y en avait déjà plus aucune à notre arrivée, mais je voulais être sûr de retrouver l'endroit.

— Tu avais donc l'intention de revenir ?

— Je ne sais pas. J'ai pensé que cela pouvait être utile.

— Et tu as eu raison, approuva Huy, descendant à son tour. T'a-t-on vu laisser ce javelot ?

— Je ne m'en suis pas caché, mais il régnait une grande agitation. Nous étions tous saisis de panique. Les dieux avaient pris possession de nos cœurs.

— Où sont les armes du roi ?

— Au palais.

— Te rappelles-tu où gisait le corps ? »

Néhésy fit quelques pas et montra un endroit du doigt.

« Le char était ici. Les chevaux là-bas. A bonne distance : soixante ou soixante-dix pas. Shérybin était tombé par-dessus le char, le torse sectionné par une roue. Et le roi gisait là.

— Je vois. »

Huy retourna vers leur char et passa le pouce sur le pourtour plaqué de bronze d'une des roues.

« C'est trop épais pour taillader le corps d'un homme.

— Ce char est vieux. Les nouveaux sont beaucoup plus rapides, et les roues sont plus fines, en métal. A la saison sèche, sauf en surface, le sable est aussi dur qu'une route. Il n'y a pas de danger de s'enliser.

— Et la blessure du roi ?

— Je te l'ai dit. L'arrière du crâne était fracassé.

— Mais comment ?

— Je ne te suis pas.

— Qu'est-ce qui l'a fracassé ? Ce ne peut être un rocher, il n'y en a pas ici. »

Néhésy regarda autour d'eux et son visage s'éclaira.

« Alors, continua Huy, comment cela s'est-il passé ?

Peut-il avoir heurté le char en étant projeté au-dehors, a-t-il été frappé par un sabot ?

— Par un sabot, c'est improbable. Si les chevaux étaient restés dans les brancards, le char n'aurait pas basculé en avant.

— Et s'il s'était cogné contre le char ?

— C'est possible, dit Néhésy qui pourtant restait sceptique.

— Pourquoi est-ce improbable ? Qu'y a-t-il ?

— Il aurait fallu qu'il heurte l'essieu... ou peut-être le moyeu d'une roue.

— Pourquoi cette restriction ?

— Parce que la carrosserie du char est en électrum. C'est un alliage très léger. Si la tête d'un homme, un tronçon de bois ou un bloc de pierre, bref, un objet dur le heurtait, il se cabosserait, se froisserait. »

Huy resta silencieux. Il fallait qu'il trouve un moyen de voir le char. Mais déjà les doutes se transformaient en certitudes.

Les chiens n'étaient plus que des points dans le désert, à deux cents pas de là, près de la pente douce d'une dune. Ils ne réagirent pas à l'appel de Néhésy.

« Allons-y, dit celui-ci. S'ils refusent de venir, c'est qu'ils ont découvert quelque chose. »

Ils reprirent le char et parcoururent la courte distance. Lorsqu'ils firent à nouveau halte, les chevaux secouèrent la tête, mal à l'aise.

L'odeur aurait été fétide si le sable n'avait accompli son effet dessiccatif. L'habituelle puanteur douceâtre qui emplissait la bouche et les narines tel un chiffon infect, enfonçant ses longs doigts dans la gorge et l'estomac, était remplacée par une forte odeur musquée. Les chiens n'avaient pas encore déterré grand-chose — cette viande-là était trop avariée pour qu'ils la mangent, et d'ailleurs ils étaient assez bien dressés pour voir que ce n'était pas de la nourriture qui leur était destinée. Au-dessus du sable se dressait un bras, poing fermé, sauf l'index pointé vers le ciel. Néhésy alla chercher la bêche en bois fixée au char, qui servait à dégager les roues lorsqu'elles s'étaient embourbées, et entreprit de déblayer le sable mou de la dune.

L'homme s'était momifié — peau desséchée, orbites creuses, bouche béante. Dans les cavités, des scarabées nettoyeurs s'activaient à leur ouvrage. On l'eût dit changé en statue alors qu'il nageait, le bras tendu vers l'arrière, diagonalement à l'épaule. Néhésy continuait de racler le sable tandis que les chiens l'observaient avec un intérêt à la fois détaché et intelligent. La chevelure du cadavre, sombre et ensablée, était une forêt grouillante. Le corps les fixait, pitoyable, de ses orbites aveugles.

Il y avait une terrible blessure sur la cage thoracique, près du cœur — le coup avait été assené d'en haut, sans doute à cheval. L'autre main était refermée sur un petit sac en lin. Huy le prit et l'ouvrit. Il contenait cinq *qite* [1].

« Une somme à laquelle il est difficile de résister, dit-il. C'est ton traqueur ?

— Oui. Mais pourquoi l'avoir laissé ici ?

— Ils n'ont probablement pas eu le temps de l'emporter. Comment auraient-ils fait ? Mieux valait un enterrement expéditif. Ce lieu est loin de tout. Nul n'aurait soupçonné qu'on reviendrait ici en l'espace de quelques jours, et avec des chiens.

— Mais pourquoi l'ont-ils tué ?

— C'est une autre question. Il se peut qu'il se soit ravisé et qu'il ait tenté d'avertir le roi. Peut-être ont-ils cédé à la panique. Ou peut-être n'avaient-ils jamais eu l'intention de lui laisser la vie sauve.

— Mais pourquoi abandonner l'argent ?

---

1. *Qite* : un dixième de *deben*, étalon-or de 90 grammes. (*N.d.T.*)

— Il avait mérité son salaire. S'ils l'avaient repris, son *ka* aurait envoyé un fantôme pour le récupérer. »

Néhésy hocha la tête.

Ils réensevelirent la dépouille, au plus profond, et Néhésy ficha la pelle de bois dans le tertre en guise de repère. Huy récita les quelques paroles protectrices du *Livre des Morts* dont il avait conservé le souvenir :

*Je suis hier et je connais demain.*
*J'ai le pouvoir de naître une seconde fois...*
*Je m'élève tel un grand faucon sortant de l'œuf.*
*Je m'envole tel un faucon au dos long de quatre pas...*
*Je suis le serpent, le fils de la terre, multipliant*
*Les années je me couche, et renais chaque jour.*
*Je suis le serpent, le fils de la terre, aux confins*
*De la terre. Je me couche et renais*
*Vigoureux, régénéré, rajeuni chaque jour...*
*Je suis le crocodile présidant sur la peur.*
*Je suis le dieu-crocodile à l'arrivée de l'âme parmi les ombres.*
*Je suis le dieu-crocodile venu pour la destruction.*

Déjà le soleil se levait sur les collines lointaines. Ils remontèrent dans le char et retournèrent vers la cité.

# 5

Huy se tenait dans une pièce blanche dont le vaste balcon faisait face au nord. La vue embrassait les toits mornes de la cité et, au-delà, le fragile ruban vert dessinant le cours du Fleuve, qui paraissait s'étirer à l'infini. Le vent frais soufflait sur son visage.

La blancheur de la pièce était rehaussée d'or et de bleu pâle, décorant par petites touches le sommet des colonnes et la frise de feuilles et de branches stylisées qui courait le long des murs, juste sous le plafond. Les meubles, quoique de style très sobre, étaient en ébène et ornés de dorures. Il y avait deux chaises, un divan et une table basse. Sur celle-ci, à côté de la cruche de vin et des gobelets d'or, les précieux fruits du *depeh* [1] étaient présentés dans une coupe argentée.

La crainte et le respect le disputaient à l'amusement dans le cœur de Huy. Il avait dit à Néhésy qu'il travaillait pour la reine, mensonge commode pour parvenir à ses fins. Et voici que ce mensonge était sur le point de devenir réalité ! Devant la table était assise, brune et fluette, une toute jeune femme d'à peine seize ans, vêtue d'une simple tunique de couleur crème à ourlet d'argent. Ses cheveux sombres étaient parés d'un mince diadème d'or à l'avant duquel se dressait

1. Des pommes. (*N.d.T.*)

l'*uraeus*[1]. Elle le regardait avec nervosité. Au fil de leur conversation, elle s'était départie de sa dignité royale à mesure qu'elle se déchargeait du fardeau de la peur.

« Penses-tu que ce soit le châtiment d'Aton ? lui demanda-t-elle timidement.

— Aton ne juge pas. Il n'a qu'une existence passive, pour être utilisé par nous. De même qu'un chat ou un faucon n'a pas d'autre pouvoir sur nous que celui qui existe dans notre cœur.

— Mais nous nous sommes détournés de lui. Nous avons altéré nos noms.

— Le roi a cessé d'être la "Vivante Image d'Aton" pour devenir la "Vivante Image d'Amon". Si les dieux existent, je crois qu'ils sont au-dessus des petites ruses que nous déployons pour rester vivants.

— Mais s'il n'y a aucun principe, quel est le sens de l'existence ?

— Il faut qu'il y ait une conviction pour nourrir les principes, ou cela n'a aucun sens. Et l'existence a-t-elle besoin de justification ? Vous étiez — pardonne-moi — tous les deux beaucoup trop jeunes pour prendre une décision.

— Quelle qu'en soit la cause, cela m'a coûté cher.

— Ce qui importe à présent, c'est de veiller à ce qu'il n'arrive rien de mal au petit dieu en toi.

— Ou à la déesse.

— Certes, approuva Huy, heureux de la voir retrouver un peu de gaieté.

— Tu peux t'asseoir, si tu le souhaites », dit Ankhsenamon.

Elle avait eu la chance d'hériter les traits de sa mère, quoiqu'elle tînt de son père ses lèvres et ses pommettes

1. *Uraeus* : emblème des pharaons ; représentation d'un cobra dressé, portant sur la tête un disque solaire. (*N.d.T.*)

hautes. Ses yeux d'Orientale étaient immenses et sombres, mûrs et candides.

Tremblant de ce manquement à l'étiquette devant sa reine, Huy prit place sur la seconde chaise.

« Tu te demandes pourquoi je t'ai envoyé chercher.

— Oui.

— Tu as des amis. Et une amie, Taheb. La propriétaire de la flotte fluviale.

— Je me souviens d'elle.

— Je n'en doute pas, remarqua la reine avec une pointe d'amusement dans la voix. Je crois qu'il fut un temps où vous étiez proches.

— Oui.

— Je veux que tu découvres ce qui est arrivé au roi. Il me sera difficile de t'aider, mais je puis te payer. Seulement, ta tâche doit être menée en secret. »

Huy garda le silence. Devait-il lui révéler qu'il avait été engagé en des termes similaires par Ay ? Il sentait qu'il s'aventurait sur un terrain de plus en plus dangereux.

« Tu as tes propres moyens d'y parvenir. »

Elle eut un geste d'impatience.

« Rares sont ceux à qui je peux me fier. Même du temps où mon seigneur était en vie, nous étions pratiquement prisonniers ici. Et c'est là l'autre chose à laquelle je veux que tu veilles : ma sécurité.

— Y a-t-il la moindre raison de penser que tu es en danger ?

— Ne fais pas l'innocent pour m'inciter à parler. Je porte en moi la succession. Je porte l'enfant qui contrecarre les ambitions de Horemheb et de mon grand-père, la seule différence entre eux étant que Ay ne me tuera peut-être pas, bien qu'il n'hésiterait pas à noyer mon enfant.

— J'ai ouï dire que ton grand-père avait d'autres projets.

— M'épouser ? dit-elle avec un sourire amer. Cela ne sauverait pas mon enfant ; il essaierait de m'engrosser lui-même. Mais je doute qu'il ose braver Horemheb en me demandant en mariage. Il lui faudra d'abord éliminer le général, et je ne suis pas sûre qu'il en ait le pouvoir. »

Elle se tut, regardant en son propre cœur.

« En revanche, Horemheb a déclaré son ambition en épousant ma tante. La course pour la succession est ouverte.

— Y prendras-tu part ?

— Tu es un homme intelligent, Huy. Mais je sais le vide que l'on éprouve sur le Trône d'Or. Mon ambition est plus humble : survivre, tout simplement. Un jour peut-être, Ay et Horemheb se détruiront mutuellement. Alors il y aura une place pour mon enfant. Mais avant toute chose, il faut faire en sorte qu'il vive pour voir ce jour. »

Elle le fixa à nouveau et se mordit les lèvres, une inquiétude enfantine dans ses yeux fardés.

« J'ai déjà été trop franche. Mais il faut bien accorder sa confiance à quelqu'un. Il existe un plan. Tu ne peux en être partie prenante. Avant même le meurtre de mon époux, son successeur avait été désigné.

— Qui est-ce ?

— Le prince Zananza.

— Des Hittites ?

— Oui.

— Pourquoi ? demanda Huy, dissimulant mal sa consternation.

— Leurs armées nous menacent. Un mariage signifierait l'unité.

— Mais qui contrôlerait la Terre Noire ? Régnerais-tu, ou ne serais-tu que son épouse ?

— Il serait prince consort.

— Où en est ce plan ? s'enquit-il avec hésitation.

— J'ai envoyé un messager au prince. Bientôt il fera route vers la capitale du Sud.

— Avec une armée ?

— Avec une escorte. Il viendra en paix. Je fais cela pour mon époux défunt. Il souhaitait garantir la paix à la Terre Noire, et barrer la route à mon grand-père et à Horemheb. »

Pour combien de temps ? pensa Huy, mais il ne dit mot. Assimilant cette information en se demandant qui d'autre la détenait, il adopta une tactique différente.

« As-tu vu Nézemmout depuis son mariage ? Lui astu parlé ?

— Non. Elle a si longtemps vécu à l'ombre de ma mère qu'elle a été femme avant que son soleil se lève. Maintenant, elle a son heure de gloire sous la face de Rê. Je lui rappelle désagréablement son passé. »

Huy s'inclina et but un peu de vin, puis déclara d'un air grave :

« Je veux t'aider.

— Autrefois je pouvais ordonner. Maintenant il me faut demander. Mais si jamais le temps du pouvoir revenait...

— Je veux t'aider, répéta Huy avec solennité. Mais je dois te dire qu'on m'a déjà mandaté pour cette affaire. »

Elle le regarda, et son regard renfermait la peur, la colère, la méfiance et l'espoir.

« Ay m'a déjà demandé de faire la lumière sur la mort du roi.

— Vraiment ? »

Sa voix ne trahissait rien, mais cela ne le préserva pas de la candeur de ses yeux. Il lui relata ce qu'il avait découvert, ne taisant que les détails qui risquaient de la blesser. Il quitta le palais à la nuit tombée, heureux que les protagonistes de la pièce où il jouait un petit rôle fussent trop occupés à s'observer pour lui accorder grande attention.

Pendant ce temps, Inény avait bien travaillé et organisé une entrevue avec Ay. Le vieil homme ne s'y refusait pas. Il donna à Huy l'impression saisissante d'être prêt à tout, son amour-propre dût-il en souffrir, pour peu que cela servît ses ambitions. Il évoquait au scribe ces gens qui tiennent d'une main ferme le gouvernail de leur esquif, sans quitter des yeux un but éloigné mais déterminé. Dès l'âge de vingt ans, ils savent ce qu'ils souhaitent avoir accompli à cinquante. Ils mettent les voiles et, à l'heure dite, atteignent le port lointain. Huy ne savait s'il fallait envier ou plaindre de telles gens.

« J'ai besoin d'interroger les médecins qui l'ont examiné.

— Pourquoi ? Existe-t-il un doute quant à l'hypothèse d'un accident ?

— Oui.

— De quelle nature ? interrogea le vieil homme, posant sur lui un regard scrutateur.

— Je m'emploie à recueillir des informations. Mais il faut que je parle aux médecins si je veux être en mesure de te fournir des faits.

— Les médecins pourraient être à la solde de Horemheb.

— Horemheb n'est pas puissant au point de mettre tout le monde dans sa poche. Il n'est pas encore libre d'agir tout à fait à sa guise.

— Cela est vrai ! convint Ay, satisfait. Il est aussi nuisible de surestimer que de sous-estimer. »

Huy se demandait quelle opinion le vieillard avait à son égard. Il savait qu'il s'était engagé dans ce qui était, pour lui, un jeu dangereux. Mais il savait aussi, sans l'ombre d'un doute, où résidait sa loyauté. Il ne se souciait pas de Ay ni de Horemheb, ni de quiconque considérant un pays comme un simple accessoire à sa personnalité, un ornement pour l'arrogant petit dieu intérieur. Il eût aimé voir ces deux fourbes dévorés par les crocodiles. Mais, en vérité, il savait que l'un d'eux serait bientôt pharaon.

Comme il partait, Inény lui indiqua les noms de deux médecins. Ils étaient l'un et l'autre de hauts fonctionnaires à la Maison de Vie, en dépit de leur différence d'âge. Le plus jeune avait une vingtaine d'années, l'aîné près de cinquante. Huy résolut de commencer par rendre visite au premier.

Mérinakhté était originaire du Sud. Il avait l'ossature longue et mince de l'habitant du désert, une bouche acerbe, un regard dur et froid. Il reçut Huy dans une pièce sombre et basse au rez-de-chaussée de la Maison de Vie. Le temps était devenu humide et Huy, qui supportait mal la moiteur de l'air, avait péniblement conscience de transpirer. Il était vêtu d'un simple pagne et d'un couvre-chef léger, néanmoins il sentait la sueur couler sur sa nuque, s'accumuler autour de sa taille et ruisseler le long de ses jambes.

Il avait également conscience du dédain avec lequel Mérinakhté le considérait. Le jeune médecin faisait de son mieux pour le dissimuler, mais sa suffisance et sa vanité l'empêchaient d'y parvenir tout à fait. Tel un lézard, il paraissait insensible à cette touffeur. Huy ne doutait pas qu'il recevait délibérément les gens dans cette pièce, où les pire effets de la chaleur étaient accentués, pour les soumettre à un désagrément dont lui-même ne souffrait pas.

« Tu es envoyé par Ay ?

— Indirectement. Son bureau a ouvert l'enquête sur laquelle je travaille.

— Mais une enquête officielle est en cours, objecta

Mérinakhté, les sourcils froncés. J'ai exposé toutes mes conclusions après examen.

— Nous travaillons parallèlement aux enquêteurs officiels. C'est un moyen de vérifier nos informations réciproques », mentit Huy, priant pour que le médecin, lui, ne vérifiât rien.

Cela semblait peu probable. L'homme avait gravi trop haut, trop jeune, les échelons du pouvoir pour ne pas devoir son poste à la politique, et éviterait donc de marcher sur les pieds d'un maître potentiel. Même s'il devait sa position à Horemheb, il ne serait pas assez présomptueux pour défier un émissaire de Ay. Combien d'individus comme Mérinakhté y avait-il maintenant dans la capitale du Sud ? Des gens d'extraction humble, ayant su prendre en marche le char des deux hommes qui se disputaient le Trône d'Or... Pas une voix ne s'était élevée pour défendre le Dieu-Roi encore en gestation dans le corps de la reine. Même les divinités de la cité, lourdes et énigmatiques dans leurs temples massifs, avaient observé un silence discret.

« As-tu été le premier à voir le roi après l'accident ? interrogea Huy.

— Non. Je l'ai vu seulement après qu'on l'a ramené à la cité.

— A combien de temps la mort remontait-elle, à ce moment-là ?

— Elle était très récente. Il était encore tôt. On l'avait amené ici directement.

— Et quelle était la cause de la mort ?

— Tu la connais sûrement, riposta sèchement Mérinakhté.

— Je sais quelle était la blessure. A quoi l'attribues-tu ?

— Ce fut un choc accidentel.

— Il a dû être frappé par une masse solide et pointue, n'est-ce pas ?

— Je ne sais ce que tu veux me faire dire, mais il n'est pas question d'autre chose qu'un accident, répliqua le médecin, d'une voix agressive où s'insinuait une certaine méfiance.

— As-tu vu le char ?

— En quoi cela aurait-il été nécessaire ?

— Tu penses donc que, dans la chute, sa tête aurait pu heurter une partie du char ou de l'équipement ?

— C'est évident. Vraiment, je ne vois pas l'utilité de ce contre-interrogatoire insultant. Ma réputation est grande. Comment penses-tu que je sois devenu gouverneur adjoint de la Maison de Vie ?

— Je ne fais qu'exécuter les ordres, dit Huy, écartant les mains et prenant sciemment un ton exaspérant.

— Informe-toi auprès de n'importe lequel de mes confrères, suggéra Mérinakhté, soudain conciliant. Il te confirmera mes dires. Demande à Horaha. Il a effectué l'examen avec moi.

— C'est mon intention.

— Bien. »

Ils se toisèrent, Mérinakhté d'un air encore dubitatif. Huy imaginait le message dépêché à Horemheb dès qu'il serait parti. Il se demanda si le général prendrait des mesures, mais se sentait relativement protégé par sa propre insignifiance. Mérinakhté le décrirait comme « un soi-disant messager de Ay », ou en des termes similaires. Horemheb s'étonnerait et mettrait ses espions sur l'enquête. La maison de Ay serait prête alors à les induire en erreur.

« Une dernière chose, dit Huy.

— Quoi encore ?

— A qui as-tu fait ton rapport ? »

Mérinakhté se permit un sourire arrogant.

« Viens-tu vraiment de chez Ay ? Tu sembles singulièrement mal informé. As-tu une autorisation écrite ?

— Tu t'y prends un peu tard pour la réclamer,

riposta Huy. On a déjà pris note de ta disposition à coopérer. »

Sur ce, il tourna les talons, se réjouissant intérieurement d'avoir semé le doute chez son interlocuteur.

Quittant la Maison de Vie, il sortit de la cour principale, tourna à droite et se dirigea vers le petit domaine au milieu des palmiers doum où les demeures des médecins étaient disposées en rangées nettes, séparées par des jardins bien entretenus, chacun entouré d'un mur et doté au centre d'un vivier. Les rues ombreuses qui les séparaient étaient propres et balayées. Mêlé à l'odeur agréable de poussière et d'épices qui flottait dans la ville, sauf dans le quartier sale et encombré du port, montait un parfum de safran.

La maison qu'il cherchait se trouvait au bout d'une rangée, à l'angle de deux rues. Il frappa à une porte peinte d'un rouge terne dans un mur couvert d'un enduit blanc. Un laurier-rose s'accrochait au linteau, répandant son fouillis de fleurs rose pâle.

La porte fut ouverte par un domestique qui le fit entrer dans un grand jardin et le pria d'attendre. La maison, surélevée dans l'éventualité d'une crue du Fleuve tout proche, était haute et blanche, partiellement dissimulée derrière une haie de cyprès plantée au bord du bassin rectangulaire. Deux jardiniers s'affairaient, l'un à arroser un vaste potager, l'autre, à moitié dissimulé, à repiquer un énorme talus de fleurs bleues et jaunes, qui s'élevait contre le mur donnant sur la rue. Les fenêtres treillissées de la salle principale étaient hautes, et surmontées de deux ouvertures pour laisser entrer le vent du nord. La propriété comptait parmi les plus grandes de ce quartier. Huy remarqua que les montants des portes intérieures étaient incrustés de lapis-lazuli.

Deux oies *ro* [1], curieuses, arrivèrent du bassin en se

1. Espèce d'oie commune dans l'ancienne Égypte. (*N.d.T.*)

dandinant pour le regarder. Alors qu'elles approchaient, le propriétaire des lieux parut sur le seuil de la maison.

Horaha traversa lentement le jardin à sa rencontre, s'appuyant sur une canne d'ébène. Il ne portait pas de coiffure, et sa tête chauve était brunie par le soleil. Son pagne plissé lui descendait aux mollets et son torse était couvert d'une tunique à manches courtes, révélant des bras secs et des mains qui par contraste semblaient trop grosses, aux longs doigts agiles. Une semelle épaisse, en bois, avait été fixée à la sandale de sa jambe infirme, qui apparaissait, maigre et desséchée, sous l'ourlet du pagne. L'ayant remarquée, Huy détourna rapidement les yeux et ne regarda plus dans cette direction. Il avait toujours été attentif aux règles élémentaires de la bienséance.

Le vieux médecin n'était pas seul. Il était en compagnie d'une jeune fille qui avait le même visage intelligent, mais des traits plus subtils, plus délicats. Un front haut et clair, encadré par une masse de cheveux noirs coiffés en une tresse compliquée. De grands yeux châtains sous des sourcils fins, marron foncé, un joli nez, une bouche généreuse incurvée en un sourire un peu sur la défensive, un menton ferme sans être obstiné. Elle était grande — plus grande que Huy — et ses épaules larges, sa poitrine pleine contrastaient avec ses longues jambes et ses hanches de jeune garçon.

On avait sorti de la maison des pliants en bois que l'on avait placés sous un tamaris, et des domestiques apportèrent du vin de Dakhlah, du miel et des figues. Horaha avait des manières hospitalières et charmantes, mais il ne pouvait dissimuler son embarras.

« Souhaites-tu que cette conversation se déroule en privé ? demanda-t-il à Huy. Je ne t'ai pas présenté ma fille, Senséneb. Depuis la mort de mon épouse, elle est mon bras droit — et c'est peu dire. Je n'ai pas de secret pour elle, et d'ailleurs elle connaît mes affaires mieux que moi-même. »

Il parlait trop vite ; par nervosité, supposa Huy. Il sourit à la jeune fille, mais elle conserva son expression fermée. Elle resterait sur la réserve tant qu'elle n'aurait pas l'assurance qu'il ne voulait pas nuire à son père.

« Es-tu médecin, toi aussi ? lui demanda-t-il poliment.

— Mon père m'a enseigné sa science, répondit-elle sans se compromettre.

— Il n'y a aucune raison pour que tu ne restes pas, si tu le désires », dit Huy, qui eut la satisfaction de la voir se détendre un peu.

Au fil de la conversation, il constata avec plaisir que la retenue dont avait été empreint son entretien avec Mérinakhté était absente. Ou plutôt, elle était d'une autre espèce. La gêne qu'il avait ressentie chez Horaha ne diminuait pas, et bien que Senséneb parlât peu, elle lançait de temps en temps à son père un regard d'avertissement. Pour les mettre à l'aise, Huy joua le rôle du bureaucrate affable, procédant à une enquête de routine pour les archives, vu que le décès concernait le personnage le plus important du pays. Il affecta de se désintéresser totalement de la succession dynastique, arguant que, quel que fût celui qui régnerait, on aurait toujours besoin de fonctionnaires. Cette feinte contribua un peu à obtenir l'effet désiré mais, malgré lui, Huy fut désolé de voir Senséneb commencer à l'observer avec un léger mépris. Un gros chat indolent, qui rôdait avec un de ses congénères autour de la table, sauta sur les genoux du scribe et s'y installa en ronronnant.

Quel âge pouvait bien avoir Senséneb ? Ce n'était plus une adolescente, elle approchait sûrement de la trentaine. Était-elle mariée ? Avait-elle des enfants ?

Son visage n'apprenait rien à Huy, qui refréna sa curiosité. Ces questions n'avaient pas lieu d'être.

Ils en étaient à la cause du décès du roi. Horaha échangeait avec sa fille des coups d'œil plus fréquents, et même leur posture trahissait leur anxiété. Huy ne pouvait feindre de ne pas le voir.

« Vous vous dites convaincus que Nebkhépérourê Toutankhamon est mort accidentellement, dit-il. Mais vos visages et vos corps démentent vos paroles. »

Il les regarda tour à tour, mais ni le père ni la fille n'affrontèrent son regard. Il pesa ses paroles avec soin :

« Ne craignez pas que cette conversation soit répétée autrement qu'à qui de droit. C'est la vérité que nous voulons. Si vous croyez que le roi est mort assassiné, ne pensez-vous pas que son *ka* vous jugera complices si vous n'en parlez pas ?

— Peut-être la Terre Noire en est-elle au point où les vivants sont plus à craindre que les morts », dit enfin Senséneb.

Son père baissait la tête. Huy se rendit compte qu'il avait été un peu trop convaincant dans son rôle de fonctionnaire médiocre. Ils ne lui ouvriraient jamais leur cœur. Mais Senséneb était déjà allée trop loin.

« Que veux-tu dire ? lui demanda-t-il très vite.

— Je veux dire, répliqua-t-elle, les yeux étincelants, qu'il y a peu de place pour la vérité. »

Horaha avait levé la main, trop tard pour l'empêcher de parler. Il la laissa retomber.

« Tu ferais mieux de m'expliquer ce que tu penses », insista Huy, d'une voix qui n'impliquait aucune menace.

Il aurait aimé être honnête avec cet homme, lui dire qu'en réalité il représentait les intérêts de la reine. Il savait, sans avoir besoin de l'entendre, que pour eux la mort du roi n'était pas un accident et qu'ils avaient de bonnes raisons d'en être convaincus. Mais même s'il se montrait franc envers eux, le croiraient-ils ?

Il s'exhorta à la patience. Peut-être pourrait-il revenir lorsqu'il aurait réuni davantage d'éléments, et les leur exposer. Alors, en contrepartie, ils le feraient bénéficier de leurs informations et il aurait posé les fondations d'une alliance bien nécessaire pour venir en aide à la reine. Mais, pour le moment, il ne pouvait en avoir la certitude, ni se risquer à une trop grande intimité. Il était frustrant qu'un manque de confiance l'empêchât de savoir quelles conclusions Horaha avait tirées de son examen ; néanmoins, peut-être était-ce tout aussi important de savoir que de telles conclusions existaient. Horaha et sa fille étaient soit des amateurs, soit des maîtres dans l'art du subterfuge. S'il n'avait été de leur bord, ils lui auraient déjà donné tous les moyens de les détruire.

« Mon père t'a dit tout ce qu'il pouvait, affirma Senséneb en le raccompagnant vers le portail. Il ne fait aucun doute que la mort du roi fut un accident tragique.

— Cela laisse la reine terriblement démunie, dit Huy, saisissant cette occasion inespérée.

— Mais c'est simplement la volonté des dieux, répondit-elle en le dévisageant. Ne crois-tu pas ?

— Certes. Si la mort de Toutankhamon était bien un accident.

— Et toi, penses-tu qu'il en soit autrement ? »

Il ne répondit pas. L'expression de Senséneb changea, et il sut qu'elle se demandait si sa première impression de lui avait été bonne. Il la laissa à ses interrogations, n'étant pas encore sûr qu'il y eût là les germes d'une alliance. Sa principale inquiétude était qu'il venait impulsivement de s'exposer à une trahison. Mais il ne pouvait voir en Senséneb ou en son père des serviteurs de Horemheb. Et il espérait qu'ils ne garderaient pas l'impression que lui en était un.

Il était tard lorsqu'il quitta la magnifique résidence du quartier des médecins. Quel lieu idyllique cela semblait être, et pourtant comme ses occupants étaient tristes et troublés ! Exclu de la vie paisible et sûre à laquelle il s'était préparé, qui était tout ce qu'il avait jamais désiré, Huy avait appris avec le temps que ce genre de vie n'existait pas. Dans une telle maison, un tel jardin, il eût encore pu la croire possible. Mais il savait qu'en définitive le seul endroit paisible, le seul bassin frais auprès duquel il pouvait s'asseoir en toute sécurité, était celui enfoui au centre de son cœur.

Malheureusement, des murs ne suffisaient pas à empêcher la vie d'entrer.

Sous les ombres longues des sycomores et des acacias, il descendit vers le port mais ne rentra pas chez lui immédiatement. Il se dirigea vers les auberges qui se succédaient le long du quai, où mouillaient les barges à fond large qui attendaient de convoyer des métaux précieux. Elles jetaient une lumière diffuse dans l'obscurité plus dense au-dessus du Fleuve. Sur la rive occidentale luisaient très faiblement, à travers la brume, les feux des ouvriers engagés dans l'excavation sans fin des sépultures.

Comment progressaient les travaux menés à la hâte dans le tombeau de Toutankhamon ? Huy avait appris qu'ils étaient près de s'achever. Les funérailles auraient lieu sitôt le corps préparé, lui avait révélé Inény, le messager de Ay. Ce dernier avait veillé à la bonne marche de tous les préparatifs, néanmoins on ne s'était toujours pas accordé sur la désignation de celui qui accomplirait le rite de l'Ouverture de la Bouche.

Des effluves d'huile de lin, de *bak* [1] et d'épices mon-

---

1. *Bak* : huile d'olive. (*N.d.T.*)

tèrent à ses narines tandis qu'il s'approchait de la rangée irrégulière de bâtiments ouverts en façade, dont les petites tables envahissaient le quai aussi loin que portait l'éclat des lanternes.

Des dîneurs étaient attablés dans chaque établissement. C'étaient principalement des travailleurs du Fleuve ; la rumeur des conversations, les odeurs mêlées des plats, le va-et-vient pressé des serveurs et des serveuses, la vapeur et la fumée des feux et des fours d'argile à l'arrière — tout cela créait un enfer aimable et chaotique où il était facile de se cacher. Se frayant un chemin à travers les tables, Huy trouva Néhésy assis presque au fond de la troisième auberge, les poings crispés par l'impatience, son plat de canard aux lentilles intact devant lui. Il se leva à moitié quand Huy s'installa rapidement à côté de lui. L'ancien scribe l'arrêta dans son mouvement en posant la main sur son bras.

« Personne ne t'a vu arriver ? demanda Huy.

— Ils ne connaissent pas mon visage, ici, sans quoi la populace m'aurait pris à partie. La mort du roi est sur toutes les lèvres. J'ai entendu plus d'un maître d'équipage assurer qu'il ne poursuivrait sa route vers la capitale du Nord qu'une fois connu le prochain pharaon.

— Pour eux, cela ne fera aucune différence.

— Cela n'en fera aucune pour la plupart d'entre nous ; mais nous nous plaisons à penser qu'il est important de savoir. »

Huy sourit.

« Nous sommes peut-être optimistes, en prétendant que cela ne fera pas de différence. Alors, as-tu vu le char ?

— Oui, dit Néhésy en jetant un rapide coup d'œil autour de lui. Les gardes n'étaient pas trop bien disposés au début, mais dès que je leur ai dit qui j'étais, ils m'ont laissé entrer. D'autant que j'avais apporté deux peaux d'antilope, qu'ils ont été très heureux d'accepter.

— Quel prétexte as-tu trouvé ?

— Que j'avais besoin de vérifier l'équipement, la bêche, les armes qui restaient, pour faire mon rapport.

— Et alors ? »

Néhésy se pencha en avant. Il avança sa grande tête, planta ses coudes sur la table et ouvrit largement les paumes.

« Dans la confusion qui s'est ensuivie quand nous avons découvert le roi et l'avons ramené ici, je n'avais pas porté beaucoup d'attention aux détails, mais maintenant je peux te dire ceci : le char n'est absolument pas endommagé. Il n'a pas une éraflure. Je ne sais pas s'ils l'ont nettoyé — on ne le dirait pas, car l'essieu et les rayons des roues sont encore couverts de sable —, mais il n'y a aucune trace de sang, de cheveux ou de peau. J'ai vu, de mes yeux vu la plaie sur le crâne du roi. S'il s'était fait cela en heurtant le char, il y aurait des traces à l'endroit du choc.

— Tu es certain que la carrosserie aurait été bosselée ?

— Écoute, dit Néhésy, écartant plus largement les mains dans son impatience. Ces chars d'électrum sont légers comme une plume. Le métal plierait si tu soufflais dessus. Mais il y a plus.

— Je t'écoute.

— Le harnais a disparu. Entièrement. Bride, mors, rênes, sangles, tout s'est envolé. Les gardes ne savent rien à ce sujet, et il n'a pas été restitué aux écuries. »

Huy réfléchit, puis demanda :

« Que va devenir le char ?

— On dit qu'il sera enfermé dans le tombeau, avec le roi. Le nouveau responsable de l'enquête officielle l'a examiné.

— Alors nous ne pouvons plus rien.

— Tu peux parler à Ay de ce que nous avons découvert. Qu'ont dit les médecins ? »

Huy le lui apprit.

« C'est suffisant pour continuer. Fort de cette information, si Ay ne parvient pas à arrêter Horemheb... »

Néhésy s'interrompit, exaspéré, en voyant son compagnon hésiter.

« Nous ne pouvons étayer la présomption que Horemheb est responsable de la mort du roi, expliqua Huy. Il n'est pas le seul à qui cela profite et, s'il faut lui reconnaître une qualité, il a fait la preuve de sa patience.

— Considère donc ceci : l'homme chargé de l'enquête est Kenamoun, le nouveau chef de la police. »

Huy retint un cri. Il songea au grief qu'il gardait envers l'ancien prêtre-administrateur. Cela datait d'une époque où Kenamoun était l'agent de Horemheb ; il n'y avait pas de raison de penser que les choses avaient changé.

Il ne remarqua pas qu'à la table voisine un batelier se levait et partait, laissant son assiette intacte.

# 6

Dès qu'elle s'éveilla, elle eut conscience de quelque chose d'anormal. Tout d'abord elle resta immobile et chercha à deviner l'heure d'après la qualité de la lumière. A la fraîcheur de l'air et à la paix qui régnait, elle sut que le matin était encore loin. Alors elle se demanda ce qui l'avait tirée si brusquement, si complètement du sommeil. Il ne restait plus dans son cœur que le souvenir d'un bruit, ou de l'absence d'un bruit.

Elle n'éprouvait pas de frayeur. Toujours allongée, elle regarda la fenêtre où s'encadrait un clair de lune laiteux, dont la clarté se répandait dans la chambre. Elle attendit que ses yeux s'accoutument suffisamment à la pénombre pour trouver son chemin sans l'aide d'une lampe. Une fois satisfaite, elle rejeta le drap et se leva, nue dans la fraîcheur de la nuit, savourant un instant cette sensation avant de porter son attention au silence qui l'entourait ; le froissement du drap sur le lit, le craquement des courroies de cuir avaient résonné telle une intrusion. Maintenant le calme était revenu, encore plus intense.

Soudain elle comprit ce qui l'avait réveillée : la toux avait cessé. Elle enfila une tunique longue, quitta la pièce et traversa d'un pas vif la véranda dont un côté était à ciel ouvert, jusqu'à la chambre de son père.

Le serviteur dont le lit était placé devant était déjà

debout, désemparé. Senséneb l'écarta et tourna la poignée de la porte.

Horaha était couché sur le dos, la nuque sur l'appui-tête, la lampe à huile brûlant encore auprès de lui. Ses bras écartés étaient tournés vers l'extérieur, paumes vers le haut. Sa tête était renversée en arrière, ses lèvres et ses yeux grands ouverts. Tout son corps était immobile. Le seul mouvement provenait des minuscules bulles qui moussaient et crevaient aux commissures de ses lèvres.

« Va chercher Hapou ! » ordonna-t-elle au serviteur qui se tenait à son côté.

Alors même qu'il courait chercher l'intendant, elle savait que son père était mort. Elle l'avait probablement su à l'instant même où elle était entrée dans la chambre et l'avait vu. Une grosse phalène jaune, qui voletait autour de la lampe, vint se poser près de l'œil d'Horaha. L'espace d'une seconde, Senséneb se prit à espérer voir la joue tressaillir, mais la phalène eût aussi bien pu atterrir sur une statue.

Étonnée de se sentir si calme, elle traversa la chambre pour s'approcher du corps, vérifia le pouls et le souffle ainsi qu'il le lui avait enseigné, machinalement, agissant pour repousser et fuir ses propres sentiments. Bien assez tôt, les pensées afflueraient. Elle était désormais orpheline et divorcée, sans enfant, sans famille. Bien qu'elle en sût assez pour exercer la médecine, ce serait difficile ici, dans la capitale du Sud. Il lui faudrait s'en aller, mais où ?

Elle referma la porte de son cœur. Pour le moment, il y avait assez à faire pour découvrir ce qui était arrivé.

L'écho de pas précipités lui parvint, des pieds nus sur le sol du patio. Elle se tourna et vit Hapou, talonné par le domestique effrayé.

« Que se passe-t-il ? demanda l'intendant, lui-même épouvanté.

— Horaha est mort. Nous devons installer son *khat*[1] confortablement. »

Ces ordres prononcés d'une voix ferme calmèrent les deux hommes. Ils entrèrent dans la chambre, heureux d'échapper à la confusion des émotions grâce à l'activité.

« Faites le nécessaire, recommanda-t-elle. Il faut faire chercher l'embaumeur à l'aube. Toutefois, je veux lui parler avant qu'il ne touche au corps.

— Oui, maîtresse. »

Elle remarqua le titre qu'ils lui avaient accordé spontanément. Jusqu'alors, elle était la Fille Prodigue de retour au bercail. Cela faisait trois ans que son époux avait divorcé d'elle sous prétexte qu'elle était stérile, et l'avait renvoyée chez son père. C'était un homme bon. Il avait payé la somme convenue lors du mariage en cas de divorce, sans révéler à ses parents qu'il était poussé par un autre motif : elle avait commis l'adultère. Ces souvenirs firent monter à sa bouche un goût de cendres. Sept années gâchées. Pourquoi fallait-il qu'elle y pense à cet instant ? Sans doute parce qu'elle se trouvait seule à nouveau.

Quand ils eurent fini, ils ôtèrent l'appui-tête qu'ils remplacèrent par un coussinet de toile, posèrent les bras sur d'autres coussinets, allèrent chercher le drap de lin gorgé d'eau dans lequel ils envelopperaient le corps pour le protéger des insectes. Seule avec son père, elle se pencha sur son visage et tamponna l'écume à ses lèvres. L'odeur était fétide.

Elle recula, se releva, songeuse. Deux jours avaient passé depuis la venue de cet enquêteur de la maison

1. *Khat* : le corps. Avec le *khou* (l'intelligence), le *ren* (le nom), l'*ab* (le cœur), le *khaibit* (l'ombre), le *ba* (l'âme, figurée par un oiseau à tête humaine), le *sahou* (la momie) et le *ka*, il constituait l'un des Huits Éléments qui formaient l'être humain. (*N.d.T.*)

de Ay. Il s'était donné bien du mal pour jouer les petits fonctionnaires, mais ses yeux étaient trop vifs, sa bouche trop spirituelle pour l'abuser. Ils s'étaient affrontés, mais quelque chose était passé entre eux qui leur avait fait ressentir en l'autre un ami. Qui était-il vraiment ? Elle ne doutait guère qu'elle le reverrait, mais quand ? Elle avait besoin de lui de toute urgence et ne savait où le trouver.

Dans le silence, elle concentra vers lui toute sa pensée. Si cette pensée lui parvenait, il viendrait.

Deux jours. Qui avait trahi son père ? Peut-être Mérinakhté. Mais son refus de coucher avec lui était une bien piètre raison pour une telle vengeance. Il faisait peu de doute dans son esprit qu'Horaha avait été empoisonné.

Quand la toux avait-elle commencé ? Tôt le jour précédent. Horaha l'avait attribuée à un refroidissement, attrapé sur la rive du Fleuve durant l'Oblation à Hapy. La saison sèche touchait à son terme et Horaha avait été choisi parmi les fonctionnaires pour offrir le sacrifice de l'année à la crue. Il avait bu les eaux sacrées du Fleuve, comme tous les autres élus. Il n'avait depuis absorbé ni boisson ni nourriture hors de sa propre maison sans qu'elle en eût elle aussi consommé. En fait, depuis le repas de midi, la veille, il n'avait rien pris, hormis l'infusion qu'il s'était lui-même prescrite. Cela n'avait pas de sens, pensa-t-elle, de mourir au milieu de la meilleure communauté médicale de toute la Terre Noire.

Elle s'agenouilla à côté de son père et lui prit la main, sachant que tout près, deux des Huit Éléments, le *khou* et le *ka*, se tenaient dans la pénombre. Le *ba* se préparait au long voyage solitaire à travers les Douze Vestibules. Aux prises avec ses pensées, elle resta avec Horaha jusqu'à l'aube, envoyant à Huy message sur message. Cela agirait peut-être, même si au long des générations les habitants de la Terre Noire avaient perdu ce don de communiquer.

Peu avant l'aube, elle vit dans l'œil de son cœur une silhouette trapue quitter une maison dans une rue pauvre du quartier du port, et elle sut qu'il l'avait entendue.

La première idée de Huy fut que le meurtre avait été perpétré avec un tel mépris du secret qu'il se voulait un avertissement.

« Tu vas devoir en tenir compte, dit-il à Senséneb.

— Comment ?

— Tiens-toi tranquille. Ne fais rien.

— Comment pourrais-je ne rien faire ? protesta-t-elle avec colère. D'ailleurs, ils surveillent certainement la maison. Ils t'auront vu venir.

— Cela n'a rien d'anormal. Tu ne m'as appelé par aucun moyen dont ils puissent trouver la trace. A leurs yeux, je devais nécessairement revenir ici. A supposer qu'ils me surveillent, ou te surveillent vraiment.

— Ils veulent sûrement savoir ce qui s'est passé.

— Ils l'apprendront bientôt, en tout cas. »

Senséneb garda le silence, puis murmura :

« Que signifie tout cela ?

— C'est une lutte pour le pouvoir. Ne prends pas un air si grave ! Pourquoi ne te laisses-tu pas aller à la douleur ?

— Je ne m'y sens pas encore prête. Je ne suis pas encore assez courageuse pour l'affronter. »

L'embaumeur arriva dans sa longue carriole, flanqué de ses assistants. Bientôt, l'enveloppe qui avait renfermé les Huit Éléments d'Horaha fut emportée afin d'être préparée à l'intention de l'esprit qui l'habiterait pour l'éternité. Ils la regardèrent partir, du portail, puis rentrèrent dans le jardin. Soudain, les épaules de Senséneb se mirent à trembler, secouées de sanglots.

Il la serra contre lui. Des domestiques inquiets les observaient à la dérobée par les fenêtres et à la porte, mais Hapou apporta de l'eau pour qu'elle baigne son visage, ainsi que du vin, et ensemble les deux hommes la consolèrent, l'aidèrent à surmonter la première vague de chagrin. Plus tard, assise sur le divan au bord du bassin, entourée avec sollicitude par les oies domestiques, elle posa un regard las sur l'ancien scribe et lui sourit.

« Je ne cherche pas à excuser mes larmes, mais j'ai honte de certaines des raisons qui m'ont poussée à les verser. Je suis seule au monde à présent, et bientôt je n'aurai plus de foyer.

— Et cette propriété ?

— Elle appartient à la Maison de Vie. C'est la résidence du chef des médecins, et dès qu'un successeur sera nommé, il s'y installera.

— Où iras-tu ?

— Mon père possède une maison au sud, à Napata. C'est loin de cette capitale.

— Combien de temps te laissera-t-on demeurer ici ?

— Au moins jusqu'à la mise au tombeau, murmura-t-elle. Les rites funéraires doivent être effectués ici, et ils ne voudraient pas encourir la colère de son *ka*.

— Ses meurtriers ont déjà pris ce risque.

— Je n'ai jamais vu un mort se venger. Et toi ?

— Non. »

Elle soupira, étira son long corps et regarda Huy avec l'ombre d'un sourire.

« Je suis heureuse que tu aies capté ma pensée.

— Elle était si forte ! Je dormais lorsqu'elle est arrivée, et elle m'a réveillé.

— Je ne pensais pas que cela réussirait.

— Ils sont bien rares, ceux capables d'utiliser l'air qui nous sépare pour communiquer.

— Il me serait impossible de recommencer.

— J'espère que tu n'y seras pas forcée. »

Huy servit le vin et ils burent ensemble. Le soleil s'acheminait vers son zénith, réchauffant les feuilles grises des tamaris, effilées telles des alênes. Mais il faisait encore frais sous les ombrages, et la brise emprisonnée dans le jardin caressait leurs visages.

« Me diras-tu, maintenant, quelle conviction Horaha avait formée ? demanda doucement Huy, espérant ne pas la brusquer.

— Oui. »

Elle poussa un nouveau soupir, but le vin à petites gorgées et remonta ses jambes contre sa poitrine, en passant ses bras autour de ses genoux.

« Il est incontestable que la mort du roi est consécutive à un coup violent à la tête ; mais s'il avait été éjecté du char, il aurait présenté des contusions sur d'autres parties du corps. L'unique hypothèse, c'est qu'il soit tombé sur la tête contre un rocher.

— Il n'y en avait pas. Et le roi n'a pas pu être éjecté parce qu'il avait certainement le pied dans la sangle du char.

— Alors, conclut-elle, c'est qu'on a prémédité sa mort.

— Oui.

— C'est ce que mon père commençait à penser.

— Je vois.

— Qui a organisé cela ?

— Je ne sais pas.

— Est-ce Horemheb ?

— Ou Ay, soupira Huy.

— C'est pourtant bien Ay qui t'emploie pour découvrir la vérité ?

— Tu raisonnes aussi vite qu'une antilope court, dit-il en souriant.

— Que vas-tu faire de toutes ces informations ?

Mais tu dois en parler à Ay ! Il est sûrement impatient d'apprendre les nouvelles de ta bouche.

— Je m'attends à ce que son messager vienne aujourd'hui. »

Il vida une coupe de vin et contempla le feuillage où perçait le soleil.

« Il te récompenserait généreusement.

— C'est vrai. Mais dès lors je lui serais redevable. »

Senséneb l'observait. Ce n'était pas le genre d'homme qu'elle eût jugé séduisant, mais les yeux l'emportaient sur le reste. Elle voulut lui parler d'elle, lui expliquer les raisons de son infidélité, lui dire à quel point elle était certaine de pouvoir porter un enfant. Mais pourquoi ce désir de se confier ?

« Penses-tu qu'on a tué ton père à cause de ses conclusions ?

— Oui, répondit-elle doucement.

— Qui était avec lui lors de l'Oblation à Hapy ?

— Son confrère Mérinakhté, ainsi que Senéfer, le Grand Prêtre d'Amon. Horemheb, Ay, les prêtres de Mout et de Khonsou. Et le chef de la police, Kenamoun. »

De retour chez lui pour attendre l'émissaire de Ay, Huy songeait à sa propre impuissance face à un enchaînement de circonstances qui aboutirait à de nouvelles morts dans les prochains jours, les prochaines semaines au meilleur des cas. Il avait la certitude que, à moins d'un miracle, l'enterrement du roi serait suivi d'un bain de sang, et que s'il n'agissait pas avec une extrême promptitude, le filet tendu autour de la reine se resserrerait au point qu'il ne pourrait l'en délivrer. Quelle garde secrète avait-on déjà postée auprès d'elle ? Mais peut-être était-ce prématuré ? Le général se sentait assez sûr de lui pour ne pas la faire garder. Car, après tout, que pouvait-elle contre lui ?

Ses derniers doutes sur l'identité de celui qui avait causé la perte du roi s'étaient évanouis à la nouvelle que Kenamoun avait approché Horaha peu avant sa mort. Et ce, en dépit du fait que Horemheb profitait des moindres célébrations publiques pour montrer qu'il contrôlait le puissant corps de police désormais connu dans la cité sous le nom des « Mézai Noirs » — créé selon ses termes au nom de la loi et de l'ordre, mais n'ayant à répondre de ses actes que devant lui. L'avertissement implicite dans la mort de Horaha était plus clair que jamais.

Le problème qui se posait à Huy était de décider combien il devait en dire à Ay. Considérant ce qu'il avait appris, il savait qu'entre les mains du corégent cela suffirait à précipiter la chute de Horemheb. Il évoluait désormais en eaux si profondes que ses pieds ne touchaient plus le fond. Quelles créatures nageaient sous la surface bourbeuse, prêtes à happer ses jambes pour l'engloutir ? Ay avait aussi ses ambitions, et Huy se gardait de sous-estimer un être si doué pour survivre.

Il n'y avait aucun moyen d'éviter de faire son rapport au Maître des Écuries. Alors qu'approchait l'heure de l'entrevue, il examina les progrès qu'il avait faits. Que révéler et que cacher ? Il lui semblait qu'il devait tendre vers trois buts : l'intérêt de la reine Ankhsenamon, sa propre conservation et enfin l'intérêt du pays.

La Terre Noire traversait une crise profonde. Tragiquement affaibli par la négligence d'Akhenaton envers le nord de l'Empire, désormais perdu, le pays était menacé par des tribus syriennes belliqueuses et par les Hittites, qui arrivaient des terres situées au-delà de la Grande Verte, au septentrion. L'armée se concentrait dans le Delta, car, au sud, les populations de Napata et de Méroé étaient restées loyales sans profiter de l'effondrement du pouvoir central.

Il n'y avait pas encore de mouvement concerté contre l'Empire, les étrangers se contentant de se disputer le territoire qu'ils venaient de remporter, mais tôt ou tard la Terre Noire serait forcée de rendre coup pour coup, faute de quoi elle serait vouée à la disparition. Et s'ils perdaient le contrôle du Fleuve...

Une conclusion désagréable s'était logée dans le cœur de Huy et y grandissait. Ay n'avait pas assez d'envergure ou de personnalité pour sauver le pays. Horemheb, si. Huy savait que l'ultime bataille entre les deux hommes ne le concernerait pas, et il ne voulait pas faire pencher l'un des plateaux de la balance du pouvoir. Mais il était placé devant un dilemme : soutenir l'un des deux tyrans, et s'il voulait que le pays fût sauvé et survécût — étant admis que sa survie l'emportait sur toute autre considération —, force lui était de faire un choix. Il regrettait que les dieux lui eussent attribué ce rôle.

Il devait pourtant y avoir un moyen d'utiliser ses informations pour monnayer la sécurité de la reine. Après, à Horemheb et à Ay de se battre. Il rassembla ses forces en vue d'affronter les eaux tumultueuses qui l'attendaient.

Inény vint le chercher de bonne heure. Il était agité, lointain et, de prime abord, encore moins disposé que Huy à la conversation.

« Qu'y a-t-il ?

— Ay perd patience, dit laconiquement Inény.

— A cause de moi ?

— A cause de toute cette situation. Horemheb a pratiquement la mainmise sur toute l'enquête relative à la mort du roi, sous prétexte que Ay est sollicité par des occupations plus importantes.

— Comme par exemple ?

— Les préparatifs pour l'enterrement, bien entendu ! Mais qui les présidera ? »

Et qui veillait à la protection de la frontière du nord ? Mais Huy devinait que Horemheb tenait la plupart des généraux sous son aile. Inény était arrivé dans une litière couverte presque trop large pour les rues. Les porteurs durent enjamber trois ou quatre mendiants accroupis à leur emplacement habituel au pied des édifices, et les deux hommes entendirent des jurons, au-dehors, tandis que la litière faisait des embardées.

« Comment crois-tu que tout ceci finira ? demanda Huy à Inény.

— Tant de rumeurs courent dans l'enceinte du palais qu'on pourrait tisser avec elles un filet de pêcheur.

— Et l'enquête officielle ? A-t-on fait une déclaration ?

— Non. Mais la nouvelle de la mort d'Horaha circule.

— Quel rapport en a-t-on fait ?

— Décès d'origine naturelle. »

Impossible de réfuter ces conclusions. Le poison utilisé n'avait laissé aucune des marques révélatrices — lèvres bleues, rictus cadavérique. Et même si Senséneb était capable de prouver que son père avait été assassiné, Huy pensait qu'elle eût été malavisée d'essayer. Le temps de la vengeance viendrait, et d'une manière qui ne la mettrait pas vainement en danger. Il y veillerait.

Ses pensées retournèrent à Kenamoun. L'image du long visage osseux et de la barbe fine apparut dans l'œil de son cœur. Kenamoun le sadique, dont il n'avait pu établir la responsabilité dans le meurtre de la petite prostituée babylonienne, quelques années plus tôt. Kenamoun, dont la carrière, sous la protection de

Horemheb, n'avait jamais connu d'obstacle et n'en connaîtrait jamais tant que le général aurait besoin de tremper ses mains dans le sang.

« Quoi qu'il en soit, dit-il, la cause de la mort du roi devra bientôt être annoncée.

— Tu la connais d'avance. »

La litière pencha à nouveau et, à la lumière plus vive qui filtra entre les rideaux de toile, Huy sut qu'ils étaient sortis du quartier du port et parcouraient la vaste étendue découverte qui séparait la cité de l'enceinte du palais.

« Pourquoi résides-tu dans ce coin-là ? demanda Inény, que la conversation paraissait apaiser. Cela empeste le poisson, et tous ceux qui ne sont pas pêcheurs sont des coupe-jarrets.

— On s'y fait.

— Ce n'est pas une réponse. Tu jouis d'une excellente réputation.

— Et je la conserverai en sachant me taire. Sinon je perdrai mon moyen de subsistance, et ma tête.

— Tu ne peux éviter d'acquérir de la notoriété. Passé un certain cap, tu ne peux éviter d'être connu. Même dans une grande ville comme celle-ci.

— Cherches-tu à me dire quelque chose, Inény ? interrogea Huy en le scrutant.

— Je veux seulement me trouver du côté des vainqueurs quand tout cela sera terminé.

— Ce jour est peut-être encore loin. »

Le mur massif de pierre jaune les domina de toute sa taille lorsqu'ils descendirent de litière près d'une entrée latérale de la demeure de Ay. C'était un portail rectangulaire et caverneux, si bien encastré dans le mur que les sculptures du linteau se perdaient dans l'ombre. Mais, à leur approche, une petite porte imbriquée dans la grande glissa silencieusement sur ses gonds.

La cour qui s'étendait devant eux était brune et nue.

Le sol sablonneux avait été balayé, mais pas une plante ne tempérait la sévérité des hauts murs qui les entouraient. Le seul ornement était une imposante statue de Ay. Comme toujours, il était représenté dans la fleur de l'âge, une suavité impénétrable émanant de son visage auquel le sculpteur avait prêté certains des traits de Toutankhamon, tentative supplémentaire pour conforter ses prétentions au trône. Ils traversèrent le rayon de soleil qui tombait, oblique, en un rectangle précis délimité par l'édifice, et empruntèrent un passage de l'autre côté de la cour, où deux Nubiens montaient la garde, arborant les pagnes blancs et les coiffures bleu sombre qui composaient la livrée de Ay.

Celui-ci les reçut dans la même pièce que précédemment, mais il était dans un état d'agitation extrême et ne s'assit pas à la table basse, près du balcon.

« Tu es plus lent que je ne m'y attendais, reprocha-t-il à Huy.

— Il n'est pas toujours possible d'obtenir des résultats rapides, surtout dans une affaire d'une telle importance.

— Certes. Mais tu traînes derrière l'enquête officielle. Sans doute Kenamoun et toi vous marchez-vous mutuellement sur les pieds ?

— Au contraire, pas une seule fois je ne l'ai rencontré. »

Ay sembla peser une idée dans son cœur.

« Non. Non, bien sûr. Il a de l'avance sur toi dans son enquête.

— Je n'ai vu aucune indication qu'il en mène une.

— Qu'as-tu découvert pour moi ? »

Huy avait décidé de ce qu'il devait révéler, mais la formulation des termes demeurait difficile.

« Allons ! s'impatienta Ay. Inutile de te dire quelle récompense sera la tienne si tu me prouves que tu me sers bien.

— Quels sont tes plans ? demanda Huy.
— Où veux-tu en venir ? dit Ay, le considérant avec colère.
— Avant de t'exposer ce que je sais, je dois savoir comment tu vas l'utiliser.
— En quoi l'utilisation que je compte en faire te concerne-t-elle ? Ce qui m'intéresse, c'est de connaître la vérité. Le pharaon était pour moi comme un fils.
— Et tu te méfies de l'enquête de Horemheb ?
— Nous en avons déjà discuté. Je te l'ai dit, en acceptant ce travail, tu acceptais en même temps mes conditions.
— Ce que j'ai découvert est peut-être de trop grande importance.
— Ainsi, ce n'était pas un accident ? interrogea Ay en plissant les yeux.
— Non. »
Ay se détourna.
« Peux-tu le prouver ?
— Oui. Mais il me faut du temps. Il me manque encore des éléments.
— Si tu ne les trouves pas, nous pouvons les forger. Qu'as-tu, à l'heure actuelle ?
— Je ne te le dirai pas.
— Prends garde, Huy ! C'est un jeu très dangereux que tu joues là. Que cherches-tu ? As-tu l'intention de te vendre au plus offrant ? Si c'est le cas, laisse-moi te dire que tu ne ressortiras pas d'ici.
— Je ne peux te révéler mon plan. Et tu ne me tueras pas. Tu as besoin de moi, car ce que j'ai à te donner mettra Horemheb sous ta coupe.
— Tu fais preuve d'une bien grande confiance. N'as-tu pas idée que tu ne peux quitter cette maison sans ma permission ? Pourquoi ne donnerais-je pas des ordres sur-le-champ pour t'arracher ces informations sous la torture ?

— Parce que Horemheb sait où je suis et sera intrigué. Il attend de connaître ta tactique. Garde-moi ici, torture-moi, et tu l'inquiéteras au point qu'il passera à l'action avant que tu ne sois prêt à te défendre. »

Ay contempla le Fleuve, qui commençait à charrier le sable rouge annonciateur de la crue.

« Je peux tisser un filet assez solide pour y prendre le général, continua Huy. Mais si tu veux qu'il soit vraiment solide, tu dois attendre.

— Tu te rends bien compte que tu parles à un régent de trahir l'autre régent ? Pourquoi ne te livrerais-je pas purement et simplement à Kenamoun ?

— J'ai réfléchi à ce que j'allais te révéler, Ay. Je ne t'en aurais pas dit aussi long si je n'avais l'assurance de ne pas être en ton pouvoir. »

La lèvre tremblante, le vieillard se détourna à nouveau. Au bout d'un moment il se maîtrisa, et ses yeux étincelants se fixèrent sur Huy, le jaugeant avec froideur tandis que son cœur prenait sa décision.

« Fort bien, dit-il enfin. Il semble que je doive me fier à toi, ou t'accorder ce qui passe pour de la confiance. Tu es astucieux, plus que je ne le supposais. Mais tu es dans un frêle esquif, pas sur la terre ferme ; et tu files vers les rapides.

— Alors je tiendrai fermement la rame. »

Ay retint un sourire.

« Veilles-y bien. »

Huy ne fut autorisé à partir qu'à la nuit tombée. Inény voulut le raccompagner chez lui, mais il fut facile de l'en dissuader. Quant à justifier sa présence dans l'enceinte du palais, il avait toujours sur lui l'insigne de sa fonction et comptait bien en faire usage.

Il attendit que les ombres fussent noires avant de se mettre en route, rasant les murs, vers le palais royal.

# 7

La reine Ankhsenamon l'attendait. Elle l'accueillit dans un vestibule de pierre étroit, enclavé entre des colonnes peintes dont la masse réduisait les simples mortels à la taille de nains. Elle portait une robe plissée bleu foncé, un diadème et un collier d'or. On eût dit qu'elle s'était parée avec une si austère solennité pour mieux affronter le choc auquel elle savait déjà devoir se préparer.

Elle s'approcha de lui, les mains jointes contre sa poitrine, ouvrant très grand ses yeux brillants. Il saisit ses pensées et elle n'eut pas besoin de le questionner. Il sentait de son côté que les mots étaient superflus ; il parla pourtant, brièvement, brusquement. Sans broder ni rien omettre. On n'en était plus là.

Quand il lui eut tout dit, elle resta longtemps immobile. Une profonde désolation s'était peinte sur son visage — plus profonde, pensa Huy, que ne le justifiaient les nouvelles qu'il avait apportées. C'était comme si le monde l'avait abandonnée.

« Il y a une autre nouvelle, dit-elle enfin, d'une voix semblable au désert.

— Qu'est-ce que c'est ?

— Le prince Zananza est mort. Sa suite et mes courriers ont été pris en embuscade par les pirates du désert, volés et tués. Il n'avait qu'une garde peu nombreuse. »

Ce fut au tour de Huy de garder le silence.
« Comment l'as-tu appris ? dit-il enfin.
— Son père m'a fait parvenir la nouvelle. C'est d'une grande tristesse.
— La guerre aura-t-elle lieu ?
— Non. Mais pour cette seule raison que le roi Souppiloulioumа n'est pas prêt. Il soupçonne que la présence des pirates n'était pas le fait du hasard. Toutefois, il ne m'en rend pas responsable.
— Comment le pourrait-il !
— Certes. Je n'avais à l'esprit que la paix et la sécurité de mon enfant. Une alliance avec les Hittites aurait été le salut de la Terre Noire. »
Ils étaient face à face dans la salle de pierre sinistre et froide, envahie par des ténèbres que les nombreuses lampes à huile ne pouvaient dissiper. Elle porta les mains à son ventre, comme pour le protéger. L'expression lointaine de ses yeux devint dure et son visage parut plus vieux.
« Et maintenant ? demanda-t-elle d'une voix blanche.
— Tu dois partir.
— Quand ?
— Le plus tôt possible.
— Mais les funérailles ?
— Elles n'auront pas lieu avant au moins deux mois.
— Je ne partirai pas avant les funérailles !
— Il le faut.
— Ils ont tué le roi, comprends-tu ? Ils l'ont tué ! Je ne leur permettrai pas d'effacer son nom et de tuer son *ka*.
— Ils ne le feront pas. »
Huy voulut lui expliquer que si une chose était certaine, c'était que Toutankhamon serait enseveli dans les formes. Que sa mort eût été autre qu'accidentelle,

deux ou trois personnes seraient les seules à le savoir et emporteraient le secret dans la tombe. Mais il vit dans les yeux flamboyants qu'il serait vain de lui présenter à cet instant des arguments rationnels.

« Le roi ne risque rien, assura-t-il. Personne ne peut nuire à son *ka*. Il est allé rejoindre les dieux. Mais toi, tu es encore là. Et tu portes en toi la succession.

— Dis-tu que je devrais fuir ces gens ? Je suis la reine ! J'ordonnerai leur mort ! »

La voyant s'emporter, il s'alarma de ce revirement. Aussi doucement qu'il le put, conscient qu'on les écoutait peut-être dans l'ombre, il essaya de lui faire voir la réalité de sa situation. Elle était prisonnière, personne ne lui obéirait hormis ses serviteurs attitrés. Elle était bien trop jeune pour admettre les faits qu'il lui exposait, mais lorsqu'il eut fini, elle avait un peu mûri.

Elle gardait l'air morose, comme s'il lui répugnait d'abandonner ses idées de vengeance. Huy espérait la convaincre d'y renoncer au moins provisoirement. Il savait qu'elle ne serait jamais en position de venger son époux ; mais pour quelle raison lui enlever cette illusion, si cela aidait à garantir sa sécurité ? Dans un avenir lointain, son enfant réclamerait peut-être son dû. Après tout, n'avait-il pas fallu deux décennies à Menkhéperrê Thoutmosis, Plus Grand des Pharaons, pour s'asseoir sur le Trône d'Or sans encombre ?

La reine se rangea enfin à ses arguments et, galvanisée par le plus fallacieux des élixirs, l'espoir, elle accepta de faire passer la sécurité de son enfant avant sa précieuse dignité. Huy la laissa seule, minuscule mortelle entourée par d'impossibles et superficielles images de grandeur. Il priait simplement les dieux de la garder en sécurité le temps d'organiser sa fuite ; néanmoins il ne pensait pas que Horemheb ou Ay s'attaqueraient à elle si tôt après la mort du roi.

Se coulant dans l'ombre, il rebroussa chemin vers le quartier du port et son propre logis, et embrassa son isolement et sa solitude familière tels des amis lorsqu'il entra. Il passa une couverture de laine autour de ses épaules car le manque de nourriture et de sommeil l'avait transi, et il tranquillisa son cœur en lisant. Dans le cocon de la nuit, il laissa ses sens partir à la dérive. Enfin ses paupières se fermèrent, mais des images confuses le réveillèrent en sursaut. Bien du temps s'écoula avant qu'elles ne lâchent prise.

En s'éveillant, Huy vit que sa lampe s'était entièrement consumée et que les pâles rayons violacés de l'aube pénétraient par sa fenêtre. Ankylosé d'avoir passé la nuit sur une chaise, il se leva en se massant le cou. Il se sentait la tête lourde et l'esprit brumeux, mais après avoir pris un bain, s'être rasé et parfumé, avoir enfilé un pagne de lin propre et de nouvelles sandales en fibres de palmier, il se sentit plus dispos que depuis plusieurs jours.

Senséneb le reçut avec surprise et, pensa-t-il, avec plaisir, quoique, à en juger par ses traits tirés, elle avait aussi peu dormi que lui depuis leur dernière rencontre. Elle avait l'air vulnérable. Peut-être se demandait-elle où résidait son avenir. Il était temps qu'elle y songe. Elle n'aurait pu rester simplement la fille de son père, vivant à ses côtés pour toujours. Cette réflexion ne facilitait en rien ce que Huy avait à lui dire ; cependant il ne pouvait se dérober. Il n'y avait rien à gagner en taisant la vérité à ceux dont on souhaitait se faire des alliés, mais cette considération ne lui donna pas le courage d'en venir au fait directement.

C'était compter sans sa finesse de perception. Elle l'avait une fois appelé dans son cœur, maintenant elle lisait dans ses yeux sans difficulté.

« Tu as quelque chose d'important à me dire.

— Oui.

— Aussi, je me disais bien que tu n'étais pas venu t'enquérir de moi, dit-elle, détournant la tête.

— Aucun motif ne m'aurait paru meilleur.

— Néanmoins...

— Il y en a un autre, oui. Et qui va faire mal.

— Peu de chose pourrait me faire souffrir davantage que ce qui s'est déjà passé.

— Je crois savoir qui a tué Horaha.

— Ce n'est pas une mauvaise nouvelle. Parle.

— Kenamoun.

— Kenamoun ?

— L'exécuteur des basses œuvres de Horemheb. S'il assistait à l'Oblation à Hapy...

— Mais il se devait d'être là, en qualité de fonctionnaire à la cour. Le lien n'est-il pas trop flagrant ?

— Nous savons que la mort de Horaha devait être prise comme un avertissement.

— Bien que je ne puisse rien prouver, je suis sûre que mon père a été empoisonné, dit-elle pensivement. Si Kenamoun, ou tout autre à sa solde, a pu empoisonner les eaux sacrées du Fleuve dans la coupe...

— J'aimerais anéantir Kenamoun. Pour ce crime et pour d'autres.

— Laisse-moi t'aider. Tu penses, dis-tu, qu'il a tué mon père, et je te crois. Horaha n'a que moi pour le venger.

— Il sera difficile de mener Kenamoun à sa perte. »

Ils étaient assis au jardin, à l'endroit même où il avait fait sa connaissance et celle de son père. Elle se leva et fit impatiemment les cent pas le long du bassin. Revenant vers Huy, elle lui dit :

« Il y a Ay.

— Oui.

— L'as-tu vu ?

— Oui.

— Quel accord as-tu conclu avec lui ? »

Elle s'était rassise, toujours impatiente et crispée, ses longues jambes étendues devant elle comme l'eût fait un homme. Elle se pencha en avant, les bras sur les cuisses, et leva vers lui des yeux sombres et furieux.

« J'ai demandé un délai.

— Pourquoi ? »

Huy écarta les mains. Il lui en disait plus qu'il n'en avait eu l'intention, mais il ne pouvait s'en empêcher, las qu'il était de n'avoir personne en qui placer sa confiance. Il y avait bien Néhésy, mais il faisait partie du palais. Senséneb avait eu à pâtir des autorités et n'avait plus partie liée avec elles. La loi, la société ne la protégeraient plus, car elle les avait vues pour ce qu'elles étaient sous leur déguisement. De plus, elle aussi avait besoin de se fier à quelqu'un. Endurée dans l'isolement, la souffrance est intolérable, pensa Huy. Et pour y mettre fin, il faut de l'aide.

« J'ai demandé un délai parce que je veux prendre la mesure de Ay. Il a sur moi un avantage et cela me déplaît. Si, pour quelque raison, Horemheb a vent de ce que je sais ou de ce que je fais avant que Ay ne soit prêt, celui-ci me livrera sans remords. En se conciliant Horemheb, il pourra lui-même gagner du temps.

— Mais n'as-tu pas assez d'éléments contre Horemheb que tu puisses donner dès maintenant à Ay, afin qu'il les utilise pour précipiter la chute du général ?

— Je pense que si. Mais ces informations sont aussi mon sauf-conduit. Je sais que Ay est avide d'être roi. Je dois laisser sa faim grandir avant de l'assouvir. Alors, au lieu de m'avoir en son pouvoir, c'est lui qui sera entre mes mains. »

A sa grande surprise, il s'aperçut que Senséneb le contemplait avec dédain.

« Je vois, dit-elle d'un ton neutre.

— Que vois-tu ?

— Tu mènes ta barque en expert, Huy. La seule chose que je ne comprends pas, c'est pourquoi tu es si candide avec moi.

— Où veux-tu en venir ? »

Huy se rendit compte que, tout à l'explication de son plan, il s'y était terriblement mal pris.

« Quel sera la récompense que tu demanderas à Horemheb ? La tête de Kenamoun ?

— En échange de quoi ?

— De Ay. Ah ! dit-elle avec un rire amer. Je ne vengerai pas mon père au prix d'une autre trahison. »

Huy était trop fatigué pour se contenir. La fureur s'empara de lui. Il se leva, empoigna la jeune femme par les épaules et la secoua durement. Elle se dégagea et lui envoya un coup de poing dans la mâchoire. Il réagit impulsivement, sans réfléchir, et sentit son bras droit partir puis l'impact de sa paume sur la tête de Senséneb. Il remarqua brièvement la douceur de sa joue, la soie de ses cheveux. Perdant l'équilibre, elle tomba sur le divan. Avant qu'elle eût pu recouvrer ses esprits, il l'attrapa rudement par le bras, au-dessus du coude, et la mit debout en la tournant sauvagement vers lui.

« A quoi penses-tu ? La douleur t'a-t-elle fait perdre la raison ? Si je ne peux te convaincre que je ne suis pas mauvais, comprends au moins que je ne suis pas stupide. Crois-tu sérieusement que je dresserais ainsi un régent contre l'autre ? Ils feraient front pour m'écraser, puis recommenceraient à se combattre. Quant à Kenamoun, je prie les dieux bienveillants de le faire tomber entre mes mains, mais pas en vendant Ay à Horemheb ! »

Elle le foudroya du regard, la bouche pleine de défi, mais dans ses yeux, peu à peu, la réflexion remplaça la colère, et leurs deux corps se détendirent. Quand il la libéra, il fut atterré en voyant les vilaines marques violettes que ses doigts avaient imprimées sur son bras.

« Je croyais que tu savais lire dans mon cœur, dit-il.

— C'est ce que j'ai fait. Je n'ai pas pu croire ce que j'y ai vu.

— Tu n'as vu que ce que tu y as mis. Nous évoluons dans du venin de cobra ; il finit par s'insinuer en nous.

— Tu ne dédaignerais pas de t'en servir.

— Pour survivre, oui. Pour ma propre ambition, non. Non par sens moral, mais par sens pratique. Ce genre d'ambition génère ses propres chaînes, sa propre mort. »

Senséneb se redressa sur le divan et enroula ses jambes autour d'elle. Son corps était lisse et musclé comme celui d'une panthère. Sa robe de deuil toute blanche s'était plaquée contre elle pendant la lutte, et elle n'avait rien fait pour la rajuster. Peut-être n'en avait-elle même pas conscience.

« La reine doit partir d'ici avant qu'on ne la tue, dit Huy. Je ne pense pas qu'elle soit en danger avant l'enterrement du pharaon, mais je n'en courrai pas le risque. Pour Horemheb, elle constitue une menace jusqu'à ce qu'il ait un nouvel enfant. Ensuite, il voudra se débarrasser d'elle, car le fils ou la fille en droite ligne de Toutankhamon pourrait toujours lever des troupes contre lui. Et pour la même raison, Ay n'hésiterait pas à la faire tuer s'il lui était impossible de l'épouser. Mais il est son grand-père, et il existe un mince espoir qu'il puisse être amené à montrer de la clémence.

— Comment ?

— En le convainquant qu'elle n'est pas une menace. Il est plus subtil que Horemheb, et moins impitoyable. C'est un artiste, pas un savant. Il est moins prévisible, plus faible, plus malléable. Par-dessus tout, il est vain. Et tant que le général et le Maître des Écuries sont absorbés l'un par l'autre, il reste une chance que la reine puisse s'échapper. Voilà pourquoi je cherche à gagner du temps. »

Elle le fixait de ses yeux d'encre.

« Je ne sais pas pourquoi tu te confies à moi. Tu es trop intelligent pour te fier à quiconque. Pourquoi me dis-tu tout cela ? »

Huy était trop las des explications pour se justifier. Il ne pouvait lui dire que ses idées étaient seulement à demi formées, qu'à chaque minute elles risquaient de se disperser, qu'elles reposaient sur des suppositions et l'espoir d'heureuses coïncidences, qu'après tout il était un opportuniste inexpérimenté, plongé dans des eaux trop profondes et mû principalement par le désir de survivre. Certes, au milieu de tout cela, il y avait un désir de voir la reine saine et sauve, un désir de tuer Kenamoun, mais rien de bien net.

« Je te le dis parce que tu es la seule entre tous qui ne puisse pas l'utiliser contre moi. Ton père était désintéressé, il a montré son intégrité et il en est mort. Qui peut encore ajouter foi à tes propos, après ça ?

— Espèce de fils de Seth ! » lâcha Senséneb après l'avoir scruté quelques instants.

Huy éclata de rire.

« Allons, tu ne me crois tout de même pas !

— Mais ce que tu dis est si plausible !

— Oui. Mais le raisonnement l'est-il ?

— Venant de toi ? Honnêtement, je ne sais plus », avoua-t-elle en souriant.

Huy s'était assis sur la chaise, près du divan. Il se pencha pour verser le vin qu'Hapou avait placé là à son arrivée.

« N'est-ce pas un peu tôt pour cela ? objecta-t-elle en posant les pieds par terre et en se redressant.

— La journée d'hier a été longue. »

Il sirota la boisson et se carra contre son siège en observant la jeune femme. Elle secouait la tête pour chasser deux ou trois mèches de cheveux tombées sur son front. Il contempla son cou sculptural, les clavicules qui s'allongeaient entre ses épaules larges, puis il sentit qu'elle lui rendait son regard et détourna les yeux, troublé. Il s'était enfin détendu ; ici, dans ce jardin magnifique que Senséneb ne pourrait encore apprécier que peu de temps, il sentait que des murs suffisaient à repousser le reste du monde — au moins pour ce matin. Ses yeux revenaient irrésistiblement sur elle. Son expression était énigmatique, mais son cœur à nouveau lui parlait et ce message-là était clair. Il posa sa coupe, se leva et s'assit auprès d'elle, caressant du bout des doigts le bras où un bleu se formait déjà. Elle gardait les yeux baissés ; son souffle était tiède. Elle avança doucement la tête et effleura son nez avec le sien. Alors elle l'embrassa à pleine bouche, lèvres ouvertes, mais légères et rapides, se retirant aussitôt. Huy sentit dans ses narines son odeur, proche et délicieuse.

« Pas ici, dit-elle, se levant et l'attirant. Ma chambre est plus confortable. »

Ils se hâtèrent d'entrer dans la maison, l'estomac creusé par l'excitation. Tous deux avaient besoin d'enterrer dans l'amour la tension et la tristesse des derniers jours. La demeure était vide et Huy se demanda ce qu'étaient devenus les domestiques. Se pouvait-il qu'ils fussent déjà tous partis, excepté Hapou ? A nouveau elle capta sa pensée, alors qu'ils atteignaient la porte de sa chambre sur la véranda, et elle lui sourit.

« Je te désirais, aussi, dès que tu es arrivé, j'ai dit à Hapou de renvoyer tout le monde pour la journée. Je sais que cela peut sembler un peu fou, mais quand je fais l'amour, j'aime être seule avec mon amant. »

Le loquet ne céda pas tout de suite et elle ébranla la porte dans un accès d'impatience. A l'intérieur, la pièce était fraîche et blanche, le lit couvert de draps en toile douce. Sitôt la porte close, Senséneb devint la panthère qu'elle était au fond d'elle-même. Un simple mouvement, et la robe de deuil glissa par terre. Un autre, et elle entourait Huy de ses bras ; de ses mains habiles, pressantes, expertes, elle le défit de son pagne et étreignit l'Adorateur de Min. Il sentit ses lèvres dans son cou et tomba à la renverse tandis qu'elle l'enfourchait. Tous les gestes de Senséneb avaient une impatience violente et souple. Elle glissa vers le bas de son corps, sans jamais ôter de lui ses lèvres ni sa langue, jusqu'à ce que sa bouche le trouve, le prenne au plus profond, lui fasse de sa langue un coussin. Sa main, ferme et fraîche, caressait ses bourses, l'autre encerclait la racine de sa virilité. Il sentait son cœur chavirer, en partie à cause d'une impression d'irréalité due à l'épuisement, en partie à cause de ce qu'elle exigeait. Et, à sa propre surprise ravie, il lui répondait avec tout autant d'enthousiasme.

« Je te veux.

— Je te veux.

— Je t'aime.

— Je t'aime.

— Donne-toi à moi.

— Donne-toi à moi. »

Il se courba et trouva sous sa bouche l'entrée de la Grotte aux Doux Secrets, tandis que, de la langue, Senséneb caressait l'extrémité de son pénis. Satisfaits enfin par cette fusion des orifices supérieurs et inférieurs, ils se mirent face à face et Rénoutet les unit là où un homme et une femme ont leur centre.

Pendant toute une heure ils restèrent l'un en l'autre, et quand enfin ils cessèrent, ils se regardèrent au fond des yeux comme des animaux heureux mais prudents, et y lurent la confiance, mais aussi le danger et le mystère. Elle se retourna, lui présentant ses fesses vigoureuses, et, appuyée sur ses bras, le regarda par-dessus son épaule pour donner un nouvel ordre. Incapable de penser, il la saisit par les flancs, puis par les seins, si fort qu'elle étouffa un cri, et il se donna à elle, son ventre dur battant contre elle, si douce, tandis qu'elle se soulevait à sa rencontre.

Pourtant quand il se retira, ils n'en avaient pas fini l'un avec l'autre, bien que le passage d'une nouvelle heure rendît leur appétit moins vorace, plus raffiné. Ils prirent conscience des détails : des perles de sueur à goûter sur une épaule, d'âcres gouttelettes dans la toison entre leurs jambes. Leurs mains s'étreignaient telles des bouches qui ne trouvent pas la satiété ; ils s'embrassèrent à s'en meurtrir la langue. Chaque partie de leur corps, chaque courbe lisse, luisante, lubrifiée devint un empire de délice.

Enfin, endoloris, fourbus, rompus, brisés, ensommeillés, riants, contents, ils restèrent immobiles. Il remonta le drap car la transpiration se glaçait sur eux et ils se blottirent dans les bras de la nuit.

Ni l'un ni l'autre n'avait eu conscience un seul instant qu'une silhouette les observait, derrière la fenêtre.

Au même moment, un des Mézai Noirs balançait un coup de pied dans l'estomac de Néhésy. Sa paupière gauche était fendue, il y voyait à peine. Le sang emplissait sa bouche. Son cœur n'était plus qu'un nuage sombre que la douleur perçait sous forme d'une lumière brillante. Ç'avait été bien pire quand ils avaient enfoncé les aiguilles sous ses ongles.

« Tu es salement arrangé, mais du moins tu es vivant. On pourrait te remettre en état, te laisser partir et même te rendre ton emploi. »

La voix de Kenamoun, encore patiente, prenait une

intonation tranchante. Cela faisait trois heures qu'ils avaient amené Néhésy ; pourtant, dans cette arrière-salle du palais de Horemheb, aux murs brunâtres plus éclaboussés de sang que si l'on avait égorgé un bœuf, le colosse refusait toujours de parler.

Couché sur le dos sur une lourde table en bois, immobilisé par des courroies, Néhésy entendait cette voix, mais elle lui semblait provenir d'au-delà des étoiles. Sa langue, qu'il avait violemment mordue pour tenter de dominer la douleur, puis involontairement, avait enflé dans sa bouche. Elle ne lui appartenait plus ; c'était une grosse chose, pendante et maladroite, une bête souffrante qui s'était logée en lui. Son ventre, couvert d'ecchymoses et de contusions, n'était plus que charpie. Loin au-dessous et sur les côtés, ses jambes et ses bras lui envoyaient sourdement des signaux de détresse. Il parvint à marmonner. Dans son oreille déchirée, la douleur produisait un grondement de tonnerre.

« Il est fini, dit nerveusement le sergent chargé de l'intendance.

— Mais non, dit Kenamoun. Il reste encore pas mal de vie là-dedans. »

Il approcha son visage tout contre celui du prisonnier, humant l'odeur de sueur et de sang avec volupté et dégoût, pensant combien plus il aurait savouré d'infliger cela à une femme. Mais il avait peur aussi. Quelqu'un en savait trop. Se débarrasser du médecin n'avait pas été suffisant.

Kenamoun recula et lança un coup d'œil sur ses assistants. Il surprit la peur sur le visage du sergent, et nota qu'à celui-ci non plus on ne pouvait se fier. Qu'il grandissait vite, le nombre de ceux qui, passé les premiers moments de zèle, n'avaient pas assez de sang-froid pour voir la chose jusqu'au bout ! Peut-être les seuls sur lesquels on pourrait compter, en définitive, se recruteraient-ils au sein de l'armée postée au loin, dans le Delta. Les deux autres tortionnaires étaient plus jeunes — des hommes de Bousiris, bien bâtis, larges d'épaules, avec des têtes bovines. Ils n'avaient pas montré de scrupules au cours de la séance. Au début, il avait même été nécessaire de modérer leur ardeur. A présent, ils s'enveloppaient les poings dans des lambeaux de lin pour protéger leurs paumes des fouets qu'ils se préparaient à utiliser.

Néhésy était énorme. Sa masse était accrue sous l'enflure des coups qu'il avait reçus. Pensant aux femmes, Kenamoun sentit de nouveau l'écœurement et l'excitation contracter chaque muscle de son corps.

« Pas le fouet », dit-il.

Il leur montra lui-même ce qu'il fallait faire. Calant son pied sous l'aisselle droite de Néhésy, il tira lentement le poignet jusqu'au moment où le bras se désarticula de l'épaule.

« Si tu peux hurler, tu peux parler ! » cracha-t-il à Néhésy, mais le géant s'était évanoui.

Les assistants déversèrent un seau d'eau sur lui. Le sergent quitta brusquement la pièce. Le chef de la police, lui, resta de marbre.

« Vas-tu nous dire qui est au courant ? » lança-t-il au prisonnier.

Celui-ci ne répondit pas, mais une lueur passa dans son œil. Alors Kenamoun vit ses lèvres s'entrouvrir, sachant déjà que rien n'en sortirait — non parce que cet homme ne pouvait pas parler, mais parce qu'il n'était pas encore brisé.

Soupirant, Kenamoun prit un petit instrument sur la table devant lui : deux plaquettes de bois réunies par un mince fil de métal et un bâton. Il suffisait de resserrer le fil autour d'un membre en faisant tourner le bâton pour faire jaillir le sang et la chair.

« Sauve ta peau, insista doucement Kenamoun. La

bravoure n'a jamais eu d'importance, n'a jamais rien changé. Pourquoi t'infliger à toi-même toute cette souffrance ? »

Néhésy parla enfin, en concentrant son regard sur son bourreau.

« Puisse Seth te chier dans la bouche ! »

Kenamoun cilla. Et si réellement l'homme ne savait rien ? Mais non, cela ne pouvait être. C'était un chasseur expérimenté, il avait accompagné le roi lors de la dernière expédition. Il avait forcément conçu des soupçons. Le chef de la police jura intérieurement. Ils avaient été trop confiants, trop arrogants.

« Pour l'instant, on n'en tirera plus rien, dit-il. Laissons-le réfléchir une heure. Montre un peu de bon sens, alors, ajouta-t-il à l'adresse de Néhésy. Sinon on s'attaquera au reste de ta personne. Penses-y.

— On le nettoie ? » demanda une des brutes alors qu'il s'apprêtait à partir.

Encore une marque de pusillanimité ?

« Non. »

## 8

« Pourquoi ? dit Inény, dégustant avec une délicatesse étudiée son vin de grenade. Parce que je ne crois pas qu'il aura le courage d'agir, à la fin. Voilà pourquoi. »

Assis en face de lui, Huy contemplait le Fleuve qui se parait d'un rouge plus profond. La crue approchait. Bientôt elle serait sur eux. Les chroniqueurs et les mesureurs de l'inondation prédisaient cette année une forte élévation du niveau des eaux. La prochaine récolte serait bonne. Les paysans disaient que c'était l'ultime présent du pharaon défunt à son peuple. Mais dans la cité on ne parlait que de son successeur. Trop de jours avaient passé sans que la nomination fût faite, mais ce matin-là l'enquête officielle sur la mort de Toutankhamon avait enfin abouti à une conclusion sans surprise : décès accidentel.

« L'impatience grandit, reprit Inény. Si Ay n'agit pas bien vite, il perdra l'initiative et peut-être même l'occasion d'agir.

— Mieux vaut préparer le terrain avant d'avancer, pour s'assurer que le sol ne se dérobera pas sous les pieds.

— Oh ! Bien sûr ! » dit Inény d'un ton sarcastique.

Huy lui rendit son sourire. Ils s'étaient rencontrés par hasard dans la rue, cet après-midi-là, et Inény l'avait invité à partager une bouteille. Cela avait été prétexte pour ces deux employés d'échanger, hors de leurs heures de service, leurs impressions sur leur maître. Inény avait oublié toute réserve ; détendu, loquace, il était un autre homme. Au début, Huy n'avait pas baissé la garde, ce genre de rencontre fortuite se révélant très souvent prémédité. Mais si Inény avait l'intention de lui soutirer des informations, soit il s'y prenait très mal, soit il s'était laissé détourner par ses propres préoccupations, car il n'avait rien obtenu de Huy, sinon des interjections polies et des remarques affables, de temps en temps, pour marquer son attention.

Inény était très préoccupé par l'idée qu'il avait fait le mauvais choix en attachant son destin à Ay. Huy s'efforçait de le rassurer et de conserver sa confiance, sans montrer un empressement excessif. Inény connaissait trop de ses secrets pour être traité cavalièrement.

« Je m'étais toujours demandé s'il aurait le courage de se dresser contre Horemheb, disait-il d'un ton lugubre. Maintenant, il s'avère que mes doutes étaient fondés. Mais il est trop tard pour changer de camp. Mon sort est scellé.

— Le voudrais-tu vraiment ?

— Je veux faire mon chemin. Cela suppose de suivre le bon chef.

— A ta place, je ne tiendrais pas encore Ay pour battu. »

Inény but quelques gorgées de vin.

« Je suis à ses côtés depuis son retour à la capitale du Sud. Il a toujours eu une telle soif de pouvoir ! Il a si bien mené sa barque ! Et maintenant que le Trône d'Or est à sa portée, il hésite.

— Il rassemble ses forces avant d'agir.

— Le penses-tu ? »

Inény leva les sourcils d'un air d'espoir au moment

où Huy se disait qu'il venait encore d'émettre une platitude. Mais pour Huy, il n'y avait rien de décevant dans la lenteur de Ay. C'était à sa propre prudence que lui-même devait d'avoir survécu. Toutefois, il ne s'expliquerait pas davantage sur ce point à Inény. Il serait intéressant de voir de quel côté le petit homme avancerait. Il n'était qu'un pion sur le plateau du *senet*, mais il occupait une position importante.

Huy ne pouvait s'offrir le luxe de se détendre. Inény n'avait pas assisté à la totalité de son entrevue avec le vieux Maître des Écuries. Lui, en revanche, connaissait la cause véritable de l'hésitation de Ay, et savait aussi que la patience du corégent serait à bout dès qu'il sentirait que le moment de frapper allait passer. Huy devrait lui fournir toutes les informations en sa possession d'ici deux jours. Le faire tout en assurant la sauvegarde de la reine exigeait de réfléchir vite et bien.

« Ay s'est-il enquis de moi depuis notre dernière rencontre ?

— Non. Mais n'imagine pas un instant qu'il t'ait oublié, dit Inény en souriant. Je t'admire, Huy. Je m'aperçois que, pendant tout le temps où nous avons parlé, je t'ai ouvert mon âme, telle qu'elle est. Toi, tu réussis à être un compagnon agréable, cordial, même chaleureux, pourtant au bout du compte je n'en sais pas une once de plus sur toi qu'au début.

— Tu ferais un piètre espion, Inény.

— Mon bon sens ne m'a jusqu'à présent jamais trompé.

— Reste du côté de Ay. Il serait stupide de te faire plus d'ennemis que besoin est par les temps qui courent.

— Je ne te demande pas ton avis.

— Alors pourquoi m'as-tu dit tout cela ?

— Que sais-tu, Huy ?

— Très peu de chose. »

Huy gardait un air impénétrable, mais la nervosité d'Inény l'inquiétait. Mettre cet homme dans la confidence supposait un risque trop grand pour qu'il le prenne à présent. S'il advenait plus tard qu'il regrette sa prudence, il se plierait à la décision des dieux. D'ici là, il aurait besoin de toute l'aide possible de la seule personne à laquelle il avait décidé de se fier sans réserve : Néhésy. Senséneb aussi, peut-être ; mais elle connaissait suffisamment la médecine pour se procurer et administrer du poison, et elle n'aurait pas été la première à faire usage de ses charmes pour influencer un ennemi potentiel. Huy n'avait pas oublié Mérinakhté, le jeune médecin qui avait gravi aussi haut qu'il le pouvait les échelons de la hiérarchie, et dont les yeux restaient sans doute fixés sur son prochain objectif : le poste de Horaha. S'était-il assuré le concours de Senséneb pour l'obtenir ?

Huy s'ébroua comme un chien pour purifier son cœur. Il n'était sûrement pas bon, sûrement pas sain de voir le côté obscur de ce qu'envoyait Rê.

Pour Ay, c'était un entretien difficile. Il l'avait répété maintes fois dans son cœur avant de l'affronter en réalité, et force lui était de reconnaître que la réalité présentait l'inconvénient de ne pas respecter les dialogues préparés d'avance.

Le pas qu'il s'apprêtait à franchir, il y avait mûrement réfléchi et en avait discuté avec son Épouse Principale. Teyi l'avait approuvé, mais avec réserve, et Ay gardait l'impression que si elle l'avait toujours soutenu dans ses ambitions, elle n'acceptait pas de renoncer à sa prééminence. Néanmoins, Ankhsenamon avait mis en œuvre son plan d'épouser le prince hittite avec une rapidité qui l'avait alarmé. Si Inény n'en avait eu vent par la servante royale dont il partageait la couche, à cette heure le prince Zananza eût été dans la capitale du Sud, envoyant à son puissant père le message de son arrivée sain et sauf. En la circonstance, une mort « accidentelle » eût été hors de question, et avant longtemps, non seulement lui mais Horemheb auraient senti la terre s'ouvrir sous eux.

Il avait hésité quelque temps, n'osant croire que les espions de Horemheb n'avaient pas surpris eux aussi le complot de la reine. Même quand il en avait eu la certitude, il avait encore atermoyé ; mais finalement il avait donné ordre de supprimer Zananza, car la chute de Horemheb n'aurait pas nécessairement assuré sa propre survie. Et une fois Zananza sur le trône, le propre espoir de Ay d'y accéder s'évanouirait à jamais.

Mais l'incident lui avait montré toute l'importance de consolider ses liens avec la famille royale. C'était sa naissance modeste qui l'avait empêché de prendre la succession à la mort d'Akhenaton. Il ne commettrait pas pareille négligence une nouvelle fois. Il n'avait pas le temps ! L'âge pesait tel un singe accroché à ses épaules, et tout le maquillage, tout l'exercice physique, toute la frugalité du monde n'empêcheraient pas les rides de se former sur son cou, son front et ses coudes, la peau de se relâcher au bas de ses joues et sur ses mains, ni ses biceps de se couvrir de plis flasques. Ay se faisait teindre les cheveux. Sous sa tunique, il portait un bandage de lin serré pour comprimer l'affreux ballon qui lui tenait lieu de ventre, et qui refusait de fondre bien qu'il ne prît qu'un petit repas de riz et de figues par jour et ne bût que de l'eau.

Ankhsenamon reçut Ay solennellement, devant une suite de serviteurs. Cela l'inquiéta. Il se doutait bien qu'elle connaissait la raison de sa venue, et s'irritait de cette obstination à l'appeler « grand-père ». Après avoir expédié les salutations d'usage, il réussit à la persuader de renvoyer la plupart de ses gens. Elle garda toutefois deux femmes auprès d'elle, dont l'une, au visage ingrat, ne cessait de lui darder des regards impertinents de ses yeux noirs et vifs comme ceux d'un rongeur. Regrettant de ne pas avoir au moins un de ses partisans auprès de lui, Ay joua avec le gobelet de vin de Kharga qu'on lui avait offert et qu'il avait été forcé d'accepter, se demandant s'il parviendrait à éviter d'y tremper les lèvres. Il sonda le regard hostile de la reine. Avait-elle deviné le véritable sort de Zannanzash ? Mais même si elle subodorait un meurtre, il était plus probable qu'elle en rendrait Horemheb responsable.

« Je ne vois pas pourquoi tu souhaites prendre une nouvelle épouse, dit Ankhsenamon lorsqu'il eut fait sa demande.

— La réponse est simple. Pour ta sécurité. En m'épousant, tu jouirais de ma protection.

— Et après ta mort, grand-père ? Cinquante ans nous séparent. »

En dépit de sa froideur, car Ay n'avait pas envisagé ce mariage comme synonyme d'un lien d'amour entre eux, ces paroles lui percèrent le cœur. Que la jeunesse était impitoyable, que son énergie était arrogante ! Pourtant, en regardant sa petite-fille il revoyait Néfertiti, et sa propre mère, morte si jeune il y avait une éternité, du temps où lui-même avait trente-cinq ans et s'accrochait aux premiers lambeaux de sa jeunesse.

« Je ne mourrai pas de sitôt.

— Et mon enfant ?

— Il sera en sécurité.

— Et la succession ? »

Elle venait de toucher le point sensible. Ay n'avait pas d'héritier mâle. Certes, il avait vu sa deuxième fille épouser son rival, de sorte que d'une façon ou d'une autre son sang coulerait peut-être dans les veines des futures générations qui prendraient place sur le Trône d'Or. Mais l'enfant de Nézemmout était mort en venant au monde. C'était un mauvais présage, et bien que sa fille fût jeune, avec des hanches opulentes, le vieillard caressait toujours l'espoir d'engendrer ses propres successeurs. Son Épouse Principale, Teyi, était trop âgée pour concevoir. Mais réussirait-il à coucher avec sa petite-fille ? Son intention première, en l'épousant, était de renforcer son propre lien avec le Trône d'Or, cependant...

Ay rumina cette idée puis la repoussa. Chaque chose en son temps. Qu'il épouse cette fille et monte sur le trône. Une stratégie permettant d'y asseoir ses propres descendants pourrait être élaborée plus tard. De toute façon, Horemheb constituerait un danger tant qu'il vivrait. Fugitivement, il pensa à Huy. Que de choses dépendaient à présent des preuves du petit espion !

« La succession repose dans ton ventre. »

Son hésitation avait duré à peine une seconde. La reine pinça les lèvres.

« Ce serait une des conditions à notre mariage.

— J'aimais le roi comme un fils.

— Cela, je n'en ai jamais douté, répondit-elle, montrant tout autant de civilité mais d'une voix tendue.

— Tu m'agréeras donc ?

— J'ai besoin de temps pour y songer.

— Le temps presse. Le successeur de Toutankhamon doit être nommé.

— Pourquoi n'y aurait-il pas une régence jusqu'à ce que mon enfant soit en âge de gouverner ? »

Nous n'en avons pas le temps, pensa Ay. Il avait envie de la secouer par les épaules, de chasser d'elle toute cette insouciance juvénile. Comment osait-elle être si indifférente au passage du temps ? Il sentait la main d'Osiris sur son épaule à chaque heure, désormais. Un beau jour, il en irait de même pour cette gamine effrontée.

« Ce serait peu judicieux. Le pays a besoin de se sentir à nouveau unifié derrière un pharaon. Un pharaon assez puissant pour faire face à la menace venant du nord.

— Je vois. Et tu es cet homme ?

— Ce serait le mieux, si notre famille veut conserver la couronne.

— Et que fais-tu de ma tante ?

— Nézemmout est...

— Quoi donc ? Une doublure ? Une autre corde à ton arc ?

— Le roi ton époux a décidé qu'elle épouserait Horemheb. »

Ankhsenamon détourna la tête. Elle se sentait dégoûtée et prise au piège. Prenant ce geste pour de la pudeur, de la timidité, une indécision enfantine, Ay tendit une main qu'il voulait paternelle. Sur son épaule nue, elle la sentit sèche, froide et tannée, semblable au glissement d'un reptile. Elle eut un mouvement de recul. Comprenant immédiatement, humilié et furieux, mais autant à cause du tort que cela causait à son plan que par dépit, Ay ôta sa main.

« Songe à mon offre, dit-il avec raideur, baissant la voix afin de ne pas être entendu des deux suivantes (aussi immobiles que des statues à trois ou quatre pas de là, mais dont les yeux, il le savait, n'avaient rien perdu de la scène). Admets que c'est ta meilleure chance de salut, et le destin le plus sûr pour la Terre Noire. »

La reine tremblait. De fureur ou de peur, Ay n'aurait su le dire.

« Je ne peux pas, dit-elle enfin.

— Tu n'as pas le choix, répliqua-t-il durement. Je t'accorde cinq jours pour revenir sur ta décision. En me refusant, tu cours un grand risque. »

Sentant que par cette menace il était allé trop loin,

il rompit brusquement la conversation, respectant seulement le protocole pour éviter de faire jaser, et il la quitta. Ostensiblement, il ne prit pas la peine d'atteindre la porte pour tourner le dos.

Ankhsenamon refoula ses larmes le temps de congédier ses femmes, puis se laissa aller et se jeta sur une chaise, cédant à la colère, la douleur, la frustration et la solitude qu'elle ne pouvait supporter plus longtemps.

« Néhésy n'est plus ici », dit à Huy le garçon d'écurie furonculeux.

Dans la cour poussiéreuse régnait un air d'abandon, de négligence. Huy regarda l'abri des animaux, se demandant comment allaient les bêtes.

« Où est-il parti ? »

L'homme se gratta le cou. Huy remarqua que deux des furoncles commençaient à s'infecter. L'homme avait besoin de soins médicaux d'urgence, sans quoi il aurait la gangrène.

« Ils l'ont emmené.

— Qui ?

— Je croyais que tu étais un fonctionnaire du palais ? Les Mézai.

— Ils l'ont arrêté ?

— Oui.

— Quand ? »

Se grattant encore et plissant les yeux au soleil, l'homme dit :

« Ça fait quatre jours.

— T'es-tu informé de leurs motifs ?

— Est-ce qu'ils ont besoin de raisons, de nos jours ? »

Huy jeta un coup d'œil vers la maison du veneur.

« Pas la peine de regarder par là, dit le garçon d'écurie. La famille est partie aussi.

— Quoi ?

— Mais oui. Il y a un nouveau Grand Veneur.

— Qui est-ce ?

— Moi, annonça l'homme en souriant. Ne t'inquiète pas ! Personne n'a le temps de chasser ces jours-ci, alors je suis un genre de gardien. Ces saletés sur mon cou me feront monter dans la Barque de la Nuit avant que je sois bien vieux, de toute façon.

— Tu pourrais te faire soigner.

— Je n'ai pas le temps de quitter les animaux. Faut bien que quelqu'un les nettoie, les nourrisse et leur fasse prendre de l'exercice.

— Mais cela va s'aggraver.

— Tout le monde doit mourir tôt ou tard, dit-il en haussant les épaules. Je suppose qu'ils désigneront quelqu'un, une fois qu'ils auront décidé qui va nous gouverner. Les chasses continueront, quel que soit celui qui s'en occupe.

— Qu'est devenue l'épouse de Néhésy ? Où est-elle allée ?

— Ses parents ont une ferme juste au nord de la cité.

— Je ne connais même pas son nom.

— Aahétep, si ça peut t'être utile. Mais elle a pas plus idée que moi de la raison pour laquelle ils ont pris Néhésy. »

Huy traversa la cité en toute hâte. Le soleil de midi était si rude à cette époque de la saison que toute activité cessait jusqu'au retour de la brise, vers le soir. Le labeur se concentrait aux heures de la barque *matet* et de la barque *seqtet* du soleil — la première et la dernière. A cette heure tardive de la matinée, les rues devenaient désertes, et bien que l'homme qui tirait la voiture à bras maugréât continuellement entre ses dents contre les sans-pitié qui s'attendaient à ce qu'il les traîne par cette canicule, ils couvrirent la distance entre le palais et les faubourgs du nord de la cité en moins d'une demi-heure.

La cité s'achevait brusquement. Les murs abrupts qui la protégeaient de la crue annuelle, érigés sur le tertre créé par des siècles de détritus et les ruines d'anciens édifices, cédaient tout à coup la place aux champs craquelés et parcheminés, qui très bientôt seraient inondés par la terre noire fertile, don d'Hapy, dispensateur de vie. Déjà le Fleuve avait monté, le sable rouge tourbillonnant à la surface tandis qu'il coulait dans son long voyage vers la Grande Verte, au nord.

Marchant le long de la rive, Huy effraya une bande d'aigrettes qui prirent leur essor de leurs ailes silencieuses, blanches contre le soleil, pour se poser quelques pas plus loin, à peine troublées par cette intrusion. De leur nouvelle position, elles ne lui prêtèrent plus la moindre attention.

Au loin sur la rive occidentale, on ne distinguait la forme grise des hérons que lorsque l'un d'eux abandonnait sa pose de statue pour piquer sur un poisson ou s'envoler sans hâte et tournoyer au-dessus des rochers implacables de la Vallée. Près des berges, des oies et des canards s'ébattaient, plongeant leur bec ouvert sous la surface en quête de nourriture et, plus loin en aval, là où des rochers lisses descendaient en paliers jusqu'au bord de l'eau, des crocodiles se chauffaient au soleil avant la chasse du soir. Près d'eux, des poules d'eau filaient à travers le courant en bandes nerveuses.

Quelques villages de la même couleur que le sol, faits d'habitations en chaume et en brique crue, s'accrochaient à la terre en groupes serrés sur les deux rives, mais des fermes isolées avaient été bâties plus près de la protection de la ville. Huy enroula son écharpe autour de sa tête pour se protéger de la chaleur, tapa des pieds pour chasser la poussière de ses sandales et se mit en route vers la plus proche.

L'aboiement furieux qui annonça son approche l'inquiéta, mais les deux grosses brutes noires de race indéterminée étaient attachées à un pieu solide au milieu de la cour de ferme. Il n'y avait personne alentour, ce qui n'était pas surprenant à cette heure du jour. Aussi, longeant les bâtiments — une maison basse flanquée d'une grange — afin de rester hors de portée des chiens, Huy se dirigea vers la porte la plus proche et frappa. Après quelques bonds, les chiens comprirent que tout autre effort était vain et regagnèrent leur coin d'ombre, d'où ils lui lancèrent des regards menaçants avant de renoncer définitivement et de poser la tête sur leurs pattes.

Le fermier était sec comme un piquet de bois dont il avait la couleur, et hébété par le sommeil. Levé depuis la quatrième heure, il avait préparé sa terre en vue de l'inondation, après laquelle le pays serait accablé par la chaleur et les moustiques jusqu'à ce que Hapy passe son chemin et que la saison de la végétation puisse commencer. En quittant la cité, Huy avait observé le système compliqué des puits d'irrigation et des minces canaux qui les reliaient, désormais à sec et négligés, et avait imaginé l'effervescence qui régnerait dans ces campagnes cinq mois plus tard, quand les eaux se seraient retirées. Alors débuteraient les semailles, après le curage et la remise en état frénétique de ce qui constituait les veines et les artères du pays.

La ferme des parents d'Aahétep se trouvait plus loin, mais Huy parvint à la distinguer à travers la brume de chaleur en plissant les yeux dans la direction indiquée par le fermier.

« Tu ne vas pas y aller maintenant, objecta celui-ci. Regarde où est le soleil. »

La canicule avait suspendu toute vie. Les oiseaux

avaient disparu de la rive, les crocodiles s'étaient réfugiés dans l'ombre dense ou dans l'eau, où seules les bulles minuscules produites à la surface par leurs yeux trahissaient leur présence. Les chiens de ferme s'étaient métamorphosés en petits rochers sombres. Huy secoua la tête.

« Je dois y aller.

— La chaleur sera insupportable.

— Je n'ai pas le temps d'attendre. D'ailleurs, je ne pense pas qu'ils dorment.

— Les parents dormiront. Raia et Toutou ont autant à faire que nous ; mais la fille... C'est qu'il y a eu un drame.

— De quel genre ?

— Je croyais que vous saviez tout, vous les gens de la ville, dit le fermier en le considérant avec froideur. Un deuil dans la famille. Elle a son petit garçon avec elle.

— Puis-je louer ton âne ? »

Le fermier tourna vers lui son visage comme taillé dans du noyer, et cracha.

« Ça non, tu ne peux pas. Pas par cette chaleur. Mais viens boire un peu d'eau avant de partir. »

Huy se forçait à marcher lentement, sans hâte, sachant que plus il irait vite, moins il aurait de chances d'arriver, bien que les deux fermes ne fussent pas distantes de plus d'un millier de pas. Chez le fermier, il avait trempé son écharpe dans une jarre d'eau et l'avait déployée de façon à couvrir aussi son dos et sa nuque, si bien que la marche n'était pas trop pénible, quoique la chaleur du sol lui brûlât la plante des pieds à travers ses sandales. Bien avant qu'il eût atteint la seconde ferme son écharpe était sèche, ses lèvres et sa bouche déshydratées. Plissant les yeux en approchant du but, il vit deux vautours planer en cercles haut dans le ciel, loin vers le nord-est. De petites taches qui apparaissaient et disparaissaient selon qu'ils volaient au soleil ou à l'ombre. Quelle créature agonisante avait attiré leur attention ?

Les chiens de Raia levèrent la tête à son approche et poussèrent un grognement épuisé, mais le laissèrent atteindre la porte sans le défier davantage. Cette ferme était plus grande que la première, et quelques bêtes étaient parquées dans des enclos, sous des parasols en feuilles de palmier. Dans l'un, un cochon blanc tout menu était couché dans un coin, profondément endormi, les oreilles sur les yeux. Dans un autre, cinq oies s'agitèrent en fixant sur lui leurs yeux intelligents et perçants. Beaucoup de temps s'écoula avant qu'on vînt répondre, mais enfin la porte s'entrebâilla pour révéler un visage blême, encadré par une chevelure emmêlée. La femme tenait un petit enfant d'environ trois ans sur son bras.

« Aahétep ?

— Qui es-tu ?

— Huy. Un ami de Néhésy. »

Une lueur de vie et de douleur vacilla dans ses yeux à la mention du nom de son époux, mais elle avait dû sentir de la sincérité dans le ton de sa voix, car il n'y vit paraître ni suspicion ni hostilité, et elle recula en ouvrant plus largement la porte. Elle la referma derrière lui, tandis que l'enfant le fixait d'un air inquisiteur, et lui fit traverser une cour intérieure où étaient accrochés des outils de ferme, puis une longue salle basse orientée au nord, de l'autre côté de la maison. D'une galerie à moitié dans l'ombre montèrent l'écho d'un ronflement et le crissement de la paille sous le poids d'un corps changeant de position dans le sommeil.

« Mes parents sont là.

— Je sais. »

L'enfant murmura des sons inarticulés. De crainte qu'il ne parle fort ou ne pleure, elle alla l'installer dans un petit lit accolé contre le mur d'où il continua à contempler Huy avec le regard vif et franc de son père. Elle revint s'asseoir en face du visiteur, les yeux las, sans expression.

« Je suis l'ami de Néhésy, dit à nouveau Huy.

— Il a parlé de toi.

— A-t-il des ennuis ?

— Pourquoi es-tu venu ?

— Pour savoir ce qui lui est arrivé. »

Une immense amertume passa sur son visage, que Huy ne comprit pas.

« Si tu ne le sais pas, soit tu es vraiment un très bon ami, soit tu n'es pas un ami du tout.

— Nous travaillons ensemble. Je suis allé aux écuries et on m'a dit qu'il avait été arrêté. Alors je suis venu ici pour en savoir plus. »

Elle continua à le regarder tristement, comme rassemblant son énergie pour parler. Quand enfin elle prit la parole, ce fut tout bas, d'une voix blanche, vidée de toute émotion.

« Il y a quatre jours, ils sont venus chez nous à l'aube. Trois Mézai. Ils ont emmené mon époux. Et puis à midi l'un des officiers est revenu et m'a dit que Néhésy était démis de ses fonctions. Je devais avoir quitté la maison avant le soir. Je ne savais pas où aller. Quand une chose de ce genre t'arrive, avec la situation qu'il y a en ce moment, plus un seul de tes amis ne veut te connaître. C'est pourquoi je suis venue ici. Aux écuries, ils savaient où me trouver, aussi je supposais que tôt ou tard Néhésy serait relâché et me rejoindrait, ou que j'aurais de ses nouvelles. Je savais qu'il n'aurait jamais rien pu faire de mal. J'ai attendu tout un jour et puis je suis retournée à la cité, mais personne n'a pu me renseigner. »

Pendant tout ce temps, elle avait un air un peu abasourdi, comme si elle ne pouvait croire qu'une telle chose pût être arrivée à sa petite famille.

« Et puis, continua-t-elle après avoir pris plusieurs longues inspirations, hier, ils l'ont ramené à la maison. »

Elle s'interrompit encore, regarda de ses yeux morts un coin de la salle, derrière Huy.

« Où est-il à présent ?

— Dans l'écurie. Sous la soupente.

— Comment va-t-il ? Est-ce qu'il dort ?

— Oui. Il dort. »

Leurs yeux se rencontrèrent. Soudain une peur glacée saisit le cœur de Huy.

« Que lui ont-ils fait ?

— Ils ont dit qu'il était tombé d'une galerie, en prison. Une escorte le conduisait à un interrogatoire avec un des enquêteurs, il a glissé et il est tombé.

— T'ont-ils dit de quoi il était accusé ? »

Elle baissa la tête.

« J'ai eu peur de le demander. Ils ne te regardent jamais dans les yeux. Ils regardent ton front et te parlent comme s'ils ne pouvaient réussir à admettre ton existence. Ils m'ont dit qu'en tant que serviteur de l'État, il avait droit à la prise en charge par le palais des frais d'enterrement. Je leur ai dit que je préférais le garder.

— Que vas-tu faire ? »

Elle le regarda avec une fierté lasse.

« Nous ne pouvons pas tous reposer dans des caveaux de pierre pour l'éternité. Ce soir, mon père creusera une fosse dans les champs, au-dessus de la ligne d'inondation. Nous la garnirons de pierres, et ma mère et moi nous tresserons un toit en osier, que nous scellerons avec de la poix et recouvrirons de sable. Néhésy reposera à l'intérieur, replié sur lui-même comme dans le ventre de sa mère, avec de la nourriture et des ustensiles pour le grand voyage. Nous n'avons pas besoin d'embaumeurs car le sable le desséchera. Geb le prendra dans ses bras et, là-haut, Nout veillera sur lui. Le petit Itet et moi, nous serons toujours près de lui, et cette maison abritera son *ka*. C'est mieux qu'un tombeau, et moins solitaire.

— Est-ce que je peux le voir ? »

Sans plus un mot elle se leva, et, après un coup d'œil vers son enfant endormi, elle sortit de la salle et traversa la cour en sens inverse. Lorsqu'elle ouvrit la porte de l'écurie, l'odeur monta à leur rencontre et Huy sentit sa gorge se serrer. L'image lui vint, irrépressible, de vers gris grouillant dans des orbites, mais en s'approchant du corps de son ami il vit que cela avait été épargné à Néhésy.

Il gisait sur le côté dans un panier d'osier ovale, le menton au creux des mains, les genoux ramenés contre la poitrine. On avait répandu du natron sur sa dépouille, et les grandes jarres d'eau en terre cuite dressées autour de lui telles des sentinelles maintenaient une température fraîche dans la pièce. La lumière était faible, mais cela suffit à Huy pour voir ce qu'on lui avait fait subir avant sa mort. Il jeta un regard furtif vers Aahétep qui contemplait le corps, ses yeux humides refusant encore d'admettre la réalité de ce qu'ils voyaient, et il se demanda si elle ajoutait foi à ce qu'on lui avait dit.

« Cela a dû être une très mauvaise chute, murmura-t-il.

— Si jamais tu fus son ami, répliqua-t-elle, les yeux étincelants, puisse Horus t'aider à le venger. »

Alors il sut que, même s'il l'avait voulu, il n'y avait rien au monde qu'il pût lui dire.

Huy passa la soirée chez lui avec Senséneb. Le dîner

qu'il avait prévu était convenu depuis longtemps, mais leur impatience avait diminué. Ils s'étaient assis côte à côte après le repas, parlant peu, si préoccupés par leurs propres pensées qu'ils n'étaient pas curieux de celles de l'autre. Huy était heureux de voir chez lui, après si longtemps, une femme qui réchauffait la pièce par sa seule présence. Il soupesait encore dans les plateaux de son cœur le risque qu'il courait en se confiant totalement à elle. Il lui semblait qu'il lui fallait s'engager. On ne progressait pas sans risque ; l'unique allié dont il était sûr avait été éliminé, et visiblement Senséneb n'avait rien fait pour le trahir, sans quoi ils n'auraient pas torturé Néhésy à mort.

Il y avait autre chose : jamais il n'avait ressenti plus fort en lui le lien d'amour depuis que son mariage était mort. Il essayait encore de le refouler. Le temps n'était pas à l'amour, voilà du moins ce qu'il se disait. Mais une autre partie de son cœur soupirait après la fille de Horaha, et refusait de se taire.

Senséneb avait conscience de la distance créée entre eux par le silence, et s'efforçait de rassembler son courage pour partager les pensées qui la préoccupaient. Elle avait bu suffisamment du vin de Kharga qu'il lui avait servi pour prendre de l'assurance, mais pas assez pour être téméraire. Elle ne savait pas comment il réagirait en apprenant la vérité sur son passé. Mais elle se disait qu'elle connaissait peu celui de Huy, et n'était donc pas freinée dans ses sentiments envers lui. Il ne semblait pas être un homme au cœur étroit, et, de toute façon, elle ne pouvait gagner sans tenter sa chance.

Tous deux savaient que s'ils se séparaient, ou même faisaient l'amour, avant de s'être confiés l'un à l'autre, un moment essentiel serait perdu à jamais ; mais qu'il était donc difficile à aborder ! Cela semblait stupide, songeaient-ils chacun de son côté, que deux adultes qui n'avaient plus l'excuse de l'inexpérience de la jeunesse fussent encore tellement à la merci des mauvais coups de Hathor. Pourtant ils continuaient à s'isoler, refusant l'un comme l'autre de faire le premier pas, jetant avec mauvaise humeur des bribes de conversation dans le silence.

La flamme de la lampe posée sur la table devint tremblotante. Huy prépara une nouvelle mèche et remplit le réservoir d'huile de lin. La lumière mourante leur fit prendre conscience du cours du temps, et l'activité qu'elle exigeait amena la conversation qu'ils attendaient de commencer avec une impatience croissante.

« Encore un peu de vin ? proposa Huy.

— Volontiers »

Il apporta une nouvelle jarre, la perça, et ils burent quelques instants encore dans le silence ; mais désormais tous deux en étaient las.

« Je tiens à te parler de mon passé, dit Senséneb. Je n'ai pas besoin d'entendre le tien en retour, bien que j'en aie envie.

— Je te dirai tout. D'ailleurs, il ne comporte rien de particulièrement mauvais, d'audacieux ou d'aventureux. Comme pour tout le monde, il fut en partie une course d'obstacles, en partie une bataille. »

Senséneb sourit.

« J'aime ta maison.

— Tu l'honores par la présence. »

Elle soupira, pensant déjà qu'il ferait bon vivre auprès de lui, et se demandant si le temps viendrait un jour où ils le pourraient.

« Si nous voulons bien nous connaître, tu dois aussi être au fait de mon passé, insista-t-elle. Maintenant, mes parents sont morts l'un et l'autre, mais il n'est rien que j'aie à dire qui nuise à leur réputation ici-bas ou dans les Champs d'Éarou[1]. »

---

1. Champs d'Éarou (ou d'Ialou) : séjour des bienheureux dans le monde souterrain, où tout poussait en abondance, et où les âmes

Tout en parlant, elle sondait les ombres du regard, comme si elle y cherchait le *ba* de Horaha perché sur une étagère ou accroché au plafond telle une chauve-souris, écoutant sa fille orpheline. Elle savait qu'il avait eu de l'estime pour Huy.

« J'ai vingt-huit ans, dit-elle en contemplant la lampe. Mon époux m'a renvoyée chez mes parents parce que j'étais stérile. Mais ce n'était pas la raison véritable. J'avais couché avec un autre homme. J'avais couché avec plusieurs hommes. »

Elle regarda Huy, mais si une expression y était discernable, c'était celle de la bonté.

« Je ne suis pas stérile. Nous ne faisions jamais l'amour. Nous avons d'abord dormi en nous tournant le dos, puis dans des lits séparés, et enfin en faisant chambre à part. Mais je ressentais un vide. Ce n'était pas un vrai mariage.

— Quand cela s'est-il terminé ?

— Il y a deux ans. Mais cela en a duré sept.

— C'est long.

— Je suis devenue une femme mûre, dit-elle en souriant.

— Non.

— As-tu des enfants ?

— J'ai un garçon, Héby. Mais il y a bien longtemps que je ne l'ai vu. »

Ils retombèrent dans le silence, mais un silence d'une qualité différente.

« As-tu réfléchi à ce que tu vas faire ? » s'enquit-il.

Cela dépend peut-être bien de toi, dit le cœur de Senséneb, cependant sa voix répondit :

« Non. Il y a la maison à Napata, au sud, que mon

des défunts pouvaient mener une vie similaire à l'existence terrestre. (*N.d.T.*)

père m'a laissée. Peut-être irai-je là-bas. J'en ai assez de cette cité. »

Huy hocha la tête. De l'autre côté de la fenêtre, la lune pâle remplissait la rue d'une lumière blafarde. Un petit animal passa, probablement un chien, dont les pattes tambourinèrent un rythme doux et régulier sur le sol dur. Rien d'autre ne bougeait.

« Que feras-tu à Napata ?

— Je pourrais y être médecin, dit-elle en souriant. Je ne vais pas laisser tous les instruments, les potions et les papiers de mon père à son successeur. »

Sa voix se fit dure et ses yeux songeurs.

« Pourquoi ? Qui est-ce ?

— Mérinakhté. »

Huy ne dit mot et scruta son visage. Elle le laissa faire, feignant d'examiner la petite statue de Bès qui montait la garde sur une étagère.

« M'aideras-tu ? demanda-t-il.

— Comment ? dit-elle en tournant les yeux vers lui.

— Je dois absolument faire partir la reine d'ici. »

Il prit les mains qu'elle tendait vers lui.

« Oui, je t'aiderai, dit-elle. Je vivrai et je mourrai pour toi.

— Et moi pour toi. »

Ils avaient jeté un pont entre eux. Ils bavardèrent encore. Il lui parla de Néhésy, de Ay. Il lui relata presque tout ce qu'il avait découvert, sachant au fond du cœur que dès cet instant il leur faudrait être vigilants. Il se refusait à imaginer ce qui se passerait si Kenamoun apprenait qu'elle le connaissait. Il lui parla de sa vie, de la cité de l'Horizon, de son désir immense de redevenir scribe ; il lui parla de Héby, lui dit combien il lui manquait, ce fils dont il ne savait même plus à quoi il ressemblait.

Quand plus tard ils firent l'amour, ils n'étaient plus des étrangers.

Il y avait de longues heures que Nézemmout était allée se coucher dans son lit froid, non sans l'assurance de son époux qu'il lui rendrait visite plus tard, car la procréation d'un héritier formait un élément important de son emploi du temps chargé. Dans une autre partie du palais, dans une vaste salle sombre surplombant le Fleuve d'un côté et de l'autre le nord de la cité, le général Horemheb était accroupi devant une table d'ébène jonchée de rouleaux de parchemin.

Maints étaient anciens, pillés bien des années plus tôt dans les archives de la cité de l'Horizon, car Horemheb reconstruisait son ascendance. Bientôt, pensait-il, oui, bientôt viendrait le temps où son historien personnel aurait à réécrire les annales de la Terre Noire de manière à faire de lui l'héritier direct de Nebmaâtrê Aménophis. Ainsi la période troublée des règnes d'Akhenaton et de ses successeurs serait effacée pour la postérité, et même sa propre épouse n'aurait plus d'existence dans les archives. D'ici là, si les dieux étaient propices, elle aurait eu son utilité. Toutefois, il était encore prématuré de porter le coup final. La patience avait toujours été la grande alliée de Horemheb ; il ne s'en détournerait pas, même si l'âge et le temps ignoraient la patience et commençaient à le pousser du coude.

Depuis des semaines il ne quittait plus le palais, ressassant le passé, imaginant l'avenir et laissant ses hommes contrôler le présent. Les rapports qu'il recevait étaient favorables et il n'avait pas lieu de penser qu'ils bâclaient leur besogne. Sa foi en sa propre destinée était devenue si forte qu'il ne concevait rien qui eût le pouvoir de la briser.

Debout près de la table, à la limite entre l'ombre et la lumière dispensée par les lampes, Kenamoun se mordait les lèvres d'impatience en attendant que son maître cessât de rêvasser. Ils n'avaient rien tiré de

Néhésy avant de le tuer, pourtant, à cette nouvelle, la réaction de Horemheb — dont Kenamoun était terrorisé d'avance — avait été mesurée. Sachant l'aversion du général à l'égard de la torture sans nécessité, il avait minimisé cette partie de l'interrogatoire. De peur d'une trahison, il avait fait muter dans la capitale du Nord le sergent mézai qui en avait été témoin, transfert auquel le sergent lui-même n'avait pas opposé d'objection. Le vizir en place était un homme débonnaire qui obéissait aux ordres venus du Sud. La capitale n'était pas un centre de pouvoir mais simplement le bras nord de l'administration. C'était une cité paisible, préoccupée avant tout de commerce et des mouvements de troupes entre elle et le Delta.

« Alors, que recommanderais-tu ? dit enfin Horemheb.

— Ankhsenamon pourrait constituer une menace pour la nation. Si un noyau de résistance se formait autour d'elle et que survenait une guerre civile, certaines de nos troupes devraient quitter leur position dans le Delta, et le risque d'une invasion hittite serait accru. »

Le chef de la police choisissait ses mots avec précaution. Derrière, le message était simple : Tue la reine. Mais Kenamoun savait que ce franc-parler brutal répugnait de plus en plus au général à mesure qu'il gravissait l'échelle du pouvoir. De fait, son ancien titre ne lui était plus agréable, et il préférait ces jours-ci être appelé par le dernier de ceux, nombreux, qu'il avait convaincu Toutankhamon de lui octroyer : Celui qui Préside sur les Deux-Terres, Grand Seigneur du Peuple.

« Mais si cette menace était supprimée avant la mise au tombeau du pharaon, cela ne paraîtrait-il pas fâcheux ? Les prêtres s'agitent. Ils sont conservateurs et lents à s'adapter. Mais je n'ai pas le temps de marcher à leur pas.

— Il reste bien des semaines avant l'enterrement du roi. Il faut encore quarante jours aux embaumeurs pour le préparer, or c'est la seule partie de l'opération qui ne peut être précipitée. La décence ne le permettrait pas.

— Alors nous nous trouvons devant un problème insoluble. Car ce délai donne à la reine une chance de s'organiser.

— Seule, elle est impuissante.

— Mais est-elle seule ?

— Nous le croyons. »

Kenamoun mentait. Il ne voulait pas que son échec à infiltrer l'entourage d'Ankhsenamon parvînt aux oreilles de Horemheb. Les agents de renseignements de la reine étaient meilleurs qu'il n'osait l'admettre, vraisemblablement parce qu'ils formaient un réseau de petite taille et très uni. La plupart des informations qu'il débitait étaient inventées de toutes pièces.

« Ainsi, il n'y a aucun danger ? insista le général.

— Il est toujours dangereux de ne pas prendre ses précautions au plus vite, répondit Kenamoun d'un ton cauteleux. Surtout quand la stabilité de la Terre Noire est en jeu. Tu l'as sauvée après la chute du Grand Criminel. Je ne veux pas voir ton œuvre anéantie.

— Mais nous avons pallié toutes les failles de notre système de sécurité.

— Il est vrai.

— Quels qu'aient été les soupçons de Horaha, il les a emportés dans la tombe.

— Oui, dit Kenamoun, dubitatif. Néanmoins je persiste à penser que je devrais interroger la fille.

— Elle ne représente en rien un danger, répliqua Horemheb avec hauteur. Que pourrait-elle contre nous ? Quoi qu'il en soit, nous pouvons en toute quiétude la laisser à Mérinakhté. Il est satisfait de sa récompense pour avoir éliminé Horaha ?

— On le dirait.

— Eh bien, quoi qu'il en soit, il nous est désormais acquis. Il a trempé les mains dans le sang pour nous, et nous doit sa maison et sa carrière. Qu'il prenne la fille s'il le désire ou qu'il ne la prenne pas, c'est son affaire. L'un ou l'autre n'influera pas sur nos intérêts.

— Comme il te plaira. Et la reine Ankhsenamon ?

— J'y réfléchirai, dit Horemheb, se rembrunissant. Mais je ne vois pas l'urgence dont tu parles.

— Suis mes conseils...

— Je chercherai conseil quand j'en aurai besoin. »

Horemheb se tourna vers ses papiers, lui signifiant son congé. Kenamoun se retira mais, dès qu'il fut seul, le général s'aperçut qu'il était incapable de se concentrer. Les hiéroglyphes dansaient sur la page, vides de sens, et sans raison aucune il frissonna.

Il ne cessait de voir dans son cœur le visage de la reine. Les paroles de Kenamoun restaient en lui et le tourmentaient.

# 9

Il avait décidé de lui rendre visite à l'heure la plus chargée de la journée, quand les marchands et les serviteurs allaient et venaient dans le palais de Pharaon, se pressant à l'intérieur de l'enceinte, bavardant et cancanant dans les cours. Vêtu d'un pagne défraîchi, non rasé, le visage maculé de boue ramassée près du Fleuve, Huy se fondait dans la foule. Toute la difficulté consistait à approcher la reine, mais elle le guettait et, sitôt qu'elle l'eut reconnu, elle envoya un de ses serviteurs personnels pour le guider le long des couloirs secrets jusqu'à une petite pièce tout en haut du palais. Là, l'homme le rasa, le farda et apprêta rapidement sa chevelure. Il lui remit une tunique et un pagne propres avant de le faire passer par les cuisines puis emprunter d'autres couloirs jusqu'à une autre pièce, sans fenêtre et jalonnée de petites colonnes rouges, où il le laissa. Aucun observateur n'eût fait un rapprochement entre le batelier crasseux entré au palais et le courtisan parfumé qui attendait Ankhsenamon.

Elle ne le fit pas attendre longtemps et arriva en hâte. Elle écarta tout protocole, et il vit que, malgré son air soucieux, elle lui accordait toute sa confiance.

« Qu'y a-t-il ?

— Tu sais sans doute que mon Grand Veneur a été arrêté. On me dit qu'il complotait contre moi. Connais-tu la vérité sur cette affaire ?

— Il est mort. Mais je suis certain que la trahison n'était pas dans son cœur.

— Je suis d'accord. Mais il y a plus. Mes sœurs cadettes ont été envoyées dans la capitale du Nord. Au dire de Ay, c'est afin de représenter le pschent à l'occasion de la fête d'Opet[1]. Mais c'est la première fois que j'entends dire que l'on célèbre cette fête là-bas.

— Le filet se resserre.

— Autre chose encore, poursuivit la reine, qui se mit à faire les cent pas, les mains frémissantes. Ay a réitéré sa demande en mariage.

— Qu'as-tu répondu ?

— J'ai demandé du temps.

— Et lui, qu'a-t-il dit ?

— Que je n'en avais pas. Il m'a donné cinq jours.

— Sinon ?

— Rien. Une menace vide.

— Que lui diras-tu quand le temps sera venu ?

— Que je préférerais mourir que l'épouser.

— Tu dois impérativement quitter la capitale du Sud.

— Non. J'assisterai à l'enterrement de mon époux.

— Tu lui dois de ne pas le rejoindre dans le tombeau. La décision ne t'appartient plus à toi seule. Tu portes un dieu en toi.

— Un dieu devrait être capable de prendre soin de lui-même.

— Quand ils sont en nous, ils ont besoin d'aide. Leur pouvoir est limité par la forme qu'ils habitent. »

La reine resta silencieuse mais conserva son air têtu.

---

1. Grande fête annuelle qui avait lieu à Thèbes pendant les crues du Nil, en l'honneur d'Amon, et à laquelle participait Pharaon. A son apogée, sous Ramsès III, la célébration durait vingt-sept jours. (*N.d.T.*)

« Ne t'avise pas de m'enseigner mon devoir ! » répliqua-t-elle enfin.

Alors Huy sut qu'il avait gagné. Il dit avec circonspection :

« Nous devons définir bien vite un plan d'action.

— Si, ayant survécu, je découvre que le roi n'a pas reçu les honneurs qui lui étaient dus, et si un jour j'ai le pouvoir de venger cet affront, je te ferai attacher à des chevaux et traîner cinq fois autour de la ville », lui dit-elle d'une voix glaciale.

Il montra d'un regard qu'il avait pris bonne note de cette menace, et poursuivit :

« Il nous faut un bateau. Pas une des barques royales. Je doute d'ailleurs que nous puissions nous fier aux marins.

— C'est impensable de devoir fuir ma propre cité comme une criminelle ! Si je consens à partir sans retour, peut-être me laisseront-ils m'en aller d'une manière qui sied à mon rang.

— Non, ils n'en feront rien.

— Ay est mon grand-père !

— Il nous faut un bateau, répéta Huy. Entre les mains d'une personne de confiance.

— En reste-t-il ? »

Les embaumeurs avaient annoncé à Senséneb que son père serait prêt pour le grand voyage un mois après la fête d'Opet, ce qui lui laissait encore cinquante jours à passer dans la maison où elle avait grandi. Néanmoins, elle avait commencé à la vider, se séparant de la plupart des choses, disant adieu à regret aux chaises, aux tabourets, aux rouleaux de papyrus, aux tables et aux lampes qu'elle avait connus toute sa vie. Elle prit ses dispositions pour expédier à Napata, par voie fluviale, ce dont elle ne supportait pas de se séparer : le matériel médical de Horaha, la petite statue d'Imhotep

— héros de son père, principal ministre du pharaon Djoser et architecte de la première grande pyramide à Saqqarah, mille ans plus tôt —, les figurines de la déesse Hathor, des dieux Hor-Pa-Khred et Thot, ainsi que les plus beaux meubles et les rouleaux les plus importants, les plus précieux. Si son avenir demeurait incertain, l'animation et même le plaisir éclairaient la tristesse et le pessimisme dont l'ombre planait sur elle depuis la mort de son père. Si elle ne pouvait le venger, elle pouvait peut-être au moins rendre honneur à la vie qu'il avait menée. Et, bien que ce fût un espoir qu'elle n'osait encore faire entrer tout à fait dans son cœur, peut-être son propre avenir ne serait-il pas aussi sombre qu'elle l'avait supposé. Elle s'efforçait de ne pas penser à Huy, même si déjà au fond d'elle-même elle l'appelait son frère. Son cœur avait des ailes et s'élançait vers lui, son corps devenait fort et fluide comme le Fleuve lorsqu'il venait dans ses pensées.

Inconsciemment, elle avait déjà commencé à dire adieu à la maison. Une fois nue, une chambre perdait immédiatement sa personnalité, comme si elle n'avait jamais rien eu à voir avec sa vie ou ne formait qu'une partie d'un rêve à moitié oublié. Bientôt toute la demeure serait ainsi. Son plus grand regret serait pour le jardin. Horaha et sa mère avaient mis des années à le créer, et les herbes médicinales qui y poussaient passaient pour la plus importante collection de toute la Terre Noire. Quant aux animaux, les chats et les oies, la famille d'Hapou les accueillerait.

Senséneb s'affairait à vider une pièce quand elle vit Mérinakhté dans l'encadrement de la porte. Elle se figea et le regarda sans rien dire, attendant qu'il parle le premier. Il avait un air gauche, et le regard de ses yeux gris était fuyant, embarrassé.

« Que fais-tu ? » dit-il enfin.

Elle reprit son occupation sans répondre.

« N'as-tu pas des domestiques pour cela ?

— Je les ai congédiés. Seul Hapou viendra avec moi. Et il y a des choses que j'aime faire moi-même. D'ailleurs, tu devrais te féliciter de trouver place nette.

— Ce n'est pas ma faute si j'ai hérité du travail de ton père.

— Non. Ce n'est là qu'un heureux concours de circonstances. »

Sans saisir l'ironie, il dit très sérieusement :

« Ce fut peut-être décrété par les dieux.

— Non ?

— Mais si. »

Il broda sur ce thème avec empressement. Maintenant qu'il avait trouvé le courage de parler, les mots lui venaient à flots.

« Où iras-tu ? »

Pour une vague raison, son cœur lui dit de ne pas le lui révéler.

« Je ne suis pas encore décidée. Peut-être dans la capitale du Nord.

— Ton père n'avait-il pas une maison quelque part ?

— Qui t'a dit cela ?

— Il y a fait allusion, une fois.

— Je n'ai pas eu le temps de parcourir tous ses papiers.

— Je pourrais t'aider. »

Elle le regarda. Tout dans sa personne était trop long, excepté son torse et ses cuisses, qui étaient molles. Ses yeux minuscules étaient pareils à des pointes de lance dans son visage blafard. Il n'arrêtait pas de la fixer quelque part sous la taille, en ouvrant et fermant convulsivement les doigts.

« Non », répondit-elle.

Après cela il garda le silence mais il ne quitta pas pour autant sa position près de la porte. Il tordait son pied dans sa sandale d'une manière si violente qu'un moment elle crut que c'était un tic.

Elle tenta de l'ignorer, se mordit les lèvres, pria pour qu'il partît ; mais il restait là, à la boire des yeux. Où était passé Hapou ? Il était allé chercher de l'eau au puits doté d'un *chadouf*[1], pour arroser le jardin, mais il avait certainement fini.

Il devenait impossible de faire semblant de travailler.

« Que veux-tu ? » lui demanda-t-elle enfin en se redressant.

Elle s'aperçut qu'elle ne supportait pas sa vue plus de quelques secondes d'affilée. Il dit en évitant son regard :

« Tu n'es pas obligée de partir.

— Que dis-tu ?

— Rien ne t'oblige à partir. »

Les yeux de Mérinakhté cherchèrent brièvement les siens pour juger de l'effet de cette déclaration, avant de fuir à nouveau.

« Plus rien ne me retient ici.

— Il pourrait en être autrement. »

Elle l'observa avec plus d'attention. Ses tentatives pour sourire ne produisaient qu'un rictus. Ses bras étaient croisés sur sa poitrine étroite, comme pour la protéger, ses mains osseuses sur ses avant-bras pâles. Il évoquait les créatures qui vivent dans les profondeurs glauques des étangs, dévorant tout ce qui s'y engloutit. Elle se sentit saisie de chair de poule. Une idée effroyable se faisait jour dans son cœur.

« Où veux-tu en venir ?

---

1. *Chadouf* : système d'irrigation composé d'un poteau vertical supportant une longue perche, munie à une extrémité d'un récipient pour puiser l'eau, et à l'autre d'un contrepoids. (*N.d.T.*)

— Tu pourrais rester dans cette maison. Avec moi. »

Maintenant que les mots étaient dits, il semblait presque le regretter. Il se gratta le bras. Elle remarqua la main aux ongles sales, dont la pression laissait une marque livide sur la peau. Malgré elle, elle imagina cette main sur son corps et, de peur et de dégoût, elle sentit ses paumes et sa lèvre supérieure se couvrir de sueur. Mais il fallait dire quelque chose. Il attendait une réponse.

« De quelle façon ? articula-t-elle enfin, espérant dissimuler son incrédulité.

— En tant qu'épouse. »

La main se détacha du bras où elle était ancrée et fit un faible geste, comme pour désapprouver ces propos. Un affreux instant, Senséneb crut qu'elle allait éclater de rire. Elle réussit à réprimer cette réaction hystérique. Surtout, il fallait jouer serré.

« Alors ? Acceptes-tu d'être ma femme ? lâcha maladroitement Mérinakhté.

— J'ai besoin de temps...

— Cela fait des années que j'ai l'œil sur toi. Depuis que tu es revenue ici. Ça ne me dérange pas que tu aies déjà servi.

— Quoi ? s'écria-t-elle avec colère, les yeux écarquillés.

— Je sais pourquoi ton époux t'a renvoyée. Mais je n'ai jamais aimé les enfants.

— Je pense que tu devrais t'en aller. »

Elle sentait la tête lui tourner. Il croisa de nouveau les bras, s'appuyant avec insolence contre le chambranle de la porte. Maintenant qu'il s'était embarqué dans sa demande en mariage, il s'enhardissait.

« Pas sans avoir une réponse.

— La réponse est non. »

Il pinça les lèvres et, sur ses tempes, les veines palpitèrent. Mais il contrôla sa colère et gémit :

« Je t'en prie, aie au moins de la considération pour moi ! Songe que tu pourrais rester ici. Ce serait ta demeure. Je te laisserais agir à ta guise. Tu serais la maîtresse des lieux. Tu pourrais recevoir mes amis.

— Non. »

Les yeux de Mérinakhté s'étrécirent presque au point de disparaître dans son visage.

« Si tu quittes cette maison, personne ne prendra soin de ton jardin. Qui le ferait ? Je n'ai pas le temps pour de telles choses. Il faudra le brûler et tout faire paver.

— Ceci reste ma maison pendant encore cinquante jours. Tu empiètes sur ma propriété. Sors immédiatement ou j'ordonne à Hapou de te jeter dehors.

— Tiens, tiens ! Voilà qui serait une erreur, murmura-t-il, un sourire menaçant aux lèvres.

— Dehors !

— Rien qu'un moment, je te prie. Il y a un fait qu'il te plaira peut-être de prendre en compte auparavant.

— Quoi donc ? »

Devant son mauvais sourire, elle se força à respirer calmement.

« Je vous ai vus vous donner du bon temps, collés l'un à l'autre. Il t'a prise comme un chien fait d'une chienne. »

Il parlait d'une voix calme mais coupante, à peine en deçà de la folie. Elle, elle le regardait sans pouvoir parler.

« Toi et Huy. Oh oui, je connais son nom ! A quoi joues-tu avec ce petit merdeux ?

— Comment, mais...

— A moins qu'il se charge seulement de l'entretien ? C'est vrai que ça doit s'être accumulé, pendant toutes ces années de privation. »

La fureur se propagea en elle comme une vague, lui donnant l'estomac creux et la tête légère. Immédiatement, un calme froid y succéda. Elle sut sans doute aucun que dès que l'occasion s'en présenterait, elle tuerait cet homme, vite et bien.

Il surprit sa pensée et émit un rire hargneux.

« J'étais venu te parler et j'ai entendu du bruit. Comme un grognement de porc. J'ai regardé par la fenêtre. Je me tenais coi, mais je n'avais pas besoin de me donner cette peine. Vous étiez tellement occupés que j'aurais pu traverser la chambre sans que vous le remarquiez. »

Il se tut le temps qu'elle se pénètre bien de ses paroles.

« Mais peu importe. Je t'aurai tout de même. Cela m'a plu, de regarder. Qui sait ? Si tu aimes ça, il se peut que je te le fasse faire avec certains des domestiques de temps en temps. Je suis sûr que mes amis apprécieraient ce genre de divertissement.

— Va-t'en ramper sous ta pierre !

— J'aurais pu parler de toi à Kenamoun, continua Mérinakhté. C'est probablement mon devoir, surtout si vous ne vous contentez pas de jouer la bête à deux dos. Mais je t'aime, Senséneb, aussi ai-je préféré être clément. Je ferais n'importe quoi pour te garder, ma chérie. Et sois-en sûre : si je ne peux pas t'avoir, personne d'autre ne t'aura. »

A nouveau elle fut incapable de répondre. Sa gorge sèche ne laissait pas passer les mots. Son *ka* semblait flotter au-dessus d'elle. Elle observait la scène, hors de son corps, comme en rêve. Elle tenta d'envoyer une pensée de son cœur à Huy, mais la voie était bloquée.

Un bruit lui parvint du dehors : Hapou revenait du jardin. Mérinakhté se détacha de la porte.

« Pense à ce que j'ai dit. Je ne suis pas un monstre. Mais je n'attendrai pas longtemps. Je reviendrai bientôt chercher ma réponse. Je suis sûr que tu te rendras au bon sens, ajouta-t-il en souriant. En dépit des plaisirs que nous réservent les Champs d'Éarou, nous préférons tous la courte vie que nous connaissons à une éternité que nous ignorons. »

Il partit alors, nonchalant, sans se presser ni jeter un regard en arrière. Le cœur de Senséneb examina fébrilement les possibilités. Une chose était certaine : Mérinakhté se trompait. Si elle ne pouvait le tuer, elle préférait encourir la colère d'Osiris en se suicidant qu'être confrontée à un enfer prévisible en ce monde.

Huy était retourné chez lui et avait trouvé Inény qui l'attendait au-dehors, flânant parmi les étals du marché qui se tenait deux fois par semaine sur la petite place. Il aborda Huy brusquement et le poussa vers la litière qui devait les conduire chez Ay. Pour la seconde fois ce même jour, Huy se mit en route vers le quartier palatial. Il remarqua qu'Inény avait retrouvé sa réserve. Il était cordial mais simplement courtois, et paraissait peu en veine de confidences.

Huy n'eut pas le loisir de réfléchir à ce revirement, car Ay l'attendait dans un état d'agitation et d'impatience qu'il n'eût jamais cru possible.

« Tu vas me dire ce que tu sais. Immédiatement !

— Je ne possède pas encore tous les éléments.

— Peu importe ! »

Ay se pencha au-dessus de la table qui les séparait, s'appuyant sur ses bras tremblants, les yeux exorbités.

« Je veux savoir tout ce que tu sais. J'ai été bien sot de t'accorder autant de temps.

— Que s'est-il passé ?

— Peu importe ! Cela ne te concerne pas. Une voie s'est fermée. Tu n'as pas besoin d'en savoir plus. »

Huy avait conscience de la présence d'Inény derrière lui, mais ne pouvait se tourner pour juger de son expression. Ay lui avait-il dit que la reine avait refusé sa demande en mariage ? Ou l'humiliation était-elle si grande qu'il l'avait gardée pour lui ?

Entre son entrevue avec Ankhsenamon et sa rencontre avec Ay, le cœur de Huy, sachant que les derniers grains de sable s'écoulaient à leur vitesse habituelle et pourtant toujours surprenante, avait échafaudé un plan susceptible de parer à tous les risques. C'était un plan sordide, mais il n'était plus possible de se battre et de survivre autrement dans la Terre Noire qu'avait engendrée cette lutte pour le pouvoir. Huy savait que l'homme capable de sauver le pays était Horemheb ; mais l'homme capable de sauver la reine était Ay, pour peu qu'on réussît à le convaincre qu'elle ne représentait pas une menace pour lui. Et le seul moyen, c'était d'assurer le trône au vieillard. Si, par la suite, le destin voulait que Horemheb lui succédât, alors le destin serait grandement aidé par la nature, car Ay était âgé et dépourvu d'héritier direct. De plus, Horemheb n'était pas homme à se laisser abattre par la frustration et la défaite ; elles le feraient repartir de plus belle. Pour sa part, Huy n'espérait rien de plus que de s'éloigner de la cité, bien vite et, en dépit de tous les avertissements et les réserves qui montaient dans son cœur, avec Senséneb.

« Fort bien, puisque tu le désires, dit-il après un long silence.

— Bien ! approuva Ay, appuyé sur la table.

— Avant que je commence, il y a des conditions. »

Ay se redressa violemment et fit les cent pas. Ayant recouvré son sang-froid, il se tourna vers lui.

« Des conditions ? répéta-t-il d'une voix basse et tendue.

— Oui. »

La bouche sèche, l'ancien scribe s'efforçait de ne pas hausser le ton et d'observer une neutralité toute diplomatique. Il ne voulait pas montrer quelle rude épreuve il imposait à son courage. Il aurait préféré qu'il y eût une autre issue, mais n'en voyait aucune. Il avait toujours conscience de la présence d'Inény derrière lui.

« Quelles sont ces conditions ?

— Je veux que tu garantisses la sécurité de la reine Ankhsenamon. »

Ay ouvrit involontairement les mains, presque surpris.

« Est-ce tout ?

— Non, mais c'est primordial.

— Je lui assurerai ma protection personnelle, pleine et sans réserve. »

Ay l'observait. Il suffisait à Huy de voir son regard pour comprendre qu'il avait parfaitement conscience de ne pas être cru.

« Il faudra également que tu renonces à toute idée de l'épouser.

— Quoi ? s'écria Ay en s'empourprant.

— Je ne puis accepter ta parole comme une garantie suffisante de sa sécurité.

— Comment oses-tu ?...

— Soyons réalistes. Je dois être en mesure de l'emmener loin d'ici, en un lieu sûr où ni toi ni Horemheb ne l'importunerez. J'ai besoin de ton aide pour la faire partir. En retour, je peux te donner assez d'informations compromettantes sur les activités de Horemheb pour t'assurer que, lorsqu'il apprendra qu'elles sont en ta possession, il ne contestera pas tes prétentions au Trône d'Or.

— Aucune information n'a ce pouvoir-là.

— Les miennes l'ont. Le général ne maintiendrait jamais la cohésion entre le clergé et l'armée si cela venait à s'ébruiter. Aucun pharaon n'a montré qu'il était plus humain que divin, et Horemheb n'est pas né du ciel. »

Comme Huy l'avait escompté, cette dernière remarque impressionna le corégent, lui-même roturier.

« Je serai magnanime, dit Ay avec grâce après un bref silence, pour la forme. Maintenant, dis-moi ce que tu sais. »

Derrière, Huy entendit un léger bruissement et le raclement d'une chaise. Inény avait préparé sa palette de scribe et un rouleau de papyrus.

« Encore une chose, auparavant, dit Huy. La reine est soucieuse à propos du voyage de Nebkhépérourê Toutankhamon vers l'Occident.

— On lui fera des funérailles dignes d'un grand pharaon. Je suis moi-même chargé des préparatifs.

— Bien. »

Huy songea aux meubles funéraires médiocres qu'il avait vus et se demanda si Ay améliorerait la chose. Cela semblait improbable, mais il n'avait plus le temps de tergiverser.

« Il y a la question du second enterrement.

— Lequel ?

— Celui du médecin, Horaha.

— Sa position lui en donne la garantie.

— Il se peut qu'il n'y ait personne pour y veiller. Il faudra lui faire des funérailles solennelles conformément à son rang, et tous ses noms devront être inscrits au fronton et dans la chapelle du tombeau. Il ne faut pas en laisser le soin à son successeur.

— Tu as ma parole, coupa Ay impatiemment. Mais quelle importance a Horaha, à présent ?

— C'est ce que tu vas entendre. »

Ay s'assit, sa silhouette découpée par le soleil ruisselant sur la cité et le Fleuve en crue. La tête baissée vers ses mains, il conserva une immobilité de pierre tandis que Huy parlait, dans un silence entrecoupé par le crissement du pinceau sous la main du secrétaire. Huy parla de la mort du roi, de sa rencontre avec Néhésy, de la découverte du traqueur et de la bourse pleine d'argent, des chevaux qui n'avaient pas une égratignure et des conclusions de Horaha après examen des blessures du roi. Enfin il lui parla de la mort du médecin, de celle de Néhésy sous la torture. Il ne dit pas où reposait le Grand Veneur. L'homme méritait la paix.

« La simple menace d'une enquête sur une seule de ces affaires arrêterait net Horemheb, dit Ay quand Huy eut terminé. Tu as fait du bon travail. Mais il me faut des preuves.

— On peut démontrer le bien-fondé des réserves de Horaha.

— Comment ?

— Le corps du roi est en cours d'embaumement. Nul ne peut plus dissimuler la blessure qu'il porte au crâne. Et si tu parviens à mettre la main sur le char, la preuve est faite. Toutefois, je pense qu'il te suffit d'en faire la remarque à Horemheb. Tu es trop puissant pour qu'il te détruise, et il ne peut pas tuer tout le monde.

— Je me le demande.

— Il n'en a pas le pouvoir. Mais c'est là que j'interviens. »

Alors qu'il s'apprêtait à se lever, Ay se rassit lentement.

« Tu interviens, dis-tu ?

— J'ai réuni et consigné ces faits dans un rapport. Je suis toujours en vie.

— Continue.

— Pardonne-moi, mais je ne peux t'accorder une confiance absolue. Maintenant que tu as ce que tu veux, je cours le risque de devenir gênant, étant donné la récompense que je réclame.

— Tes fameuses conditions.

— Oui.

— C'est une récompense facile à accorder. Je te donne ma parole de futur pharaon. »

Ay sembla gagner en stature tandis qu'il prononçait ces mots. La nouvelle pensée qui pénétrait son cœur avait effacé des années sur son visage ridé.

« Tu as de la chance que je sois satisfait de toi. Tes propos ne m'ont pas offensé. Mais ne m'éprouve pas trop.

— Je sais que tu es un homme de sagesse. Je sais donc aussi que tu es conscient de la menace que constituent pour ta future descendance la vie de la reine et celle de l'enfant. Je dois te dire que si je constate qu'on m'a trompé en quelque façon, j'irai trouver Horemheb et je l'avertirai. Si quoi que ce soit devait m'arriver, le rapport que j'ai constitué sur ces événements lui sera adressé. Il est dans un lieu sûr que jamais tu ne découvriras, et j'ai pris mes dispositions avec des amis du quartier du port, du menu fretin qui te glisserait entre les doigts si tu tentais de mettre la main dessus. Et ils sont coriaces. »

Intérieurement, Huy regrettait de ne pas avoir constitué pour de bon un tel rapport.

Ay se plongea dans ses pensées et joignit les extrémités de ses doigts. Son visage étant baissé, il était impossible d'en voir l'expression.

« As-tu un plan pour le départ de la reine ?

— Vaguement.

— Mais as-tu bien pensé à Horemheb ? Tu es forcé de t'en remettre à moi, en dépit de toute ton habileté ; mais si Horemheb pense qu'elle est vivante, où que ce soit sur la Terre Noire, il n'aura de cesse de la retrouver et de la tuer. Elle et son enfant. Il en a les moyens, Huy. Même si maintenant j'ai l'avantage sur lui, je ne peux porter atteinte à son pouvoir sans risquer une fracture au sein de l'armée. Or nous ne pouvons nous le permettre.

— J'ai mon idée sur ce qu'il faut faire. »

En réalité, Huy n'avait qu'un plan des plus sommaires, fragile et dangereux de surcroît. Mais Ay lui sourit.

« J'ai souvent dit que tu es un homme intelligent. Je suppose que je perdrais mon temps en te proposant des terres lorsque je deviendrai pharaon ? En échange de tes services, évidemment.

— Tu le perdrais en effet.

— Alors, qu'il en soit selon ton désir. Inény te raccompagne jusqu'à la porte. »

Il se leva. Inény rangea sa palette et se prépara à coincer le rouleau de parchemin sous son bras.

« Laisse cela ici, Inény », dit le vieux Maître des Écuries.

Elle n'était pas au rendez-vous. Huy s'accroupit sur le rocher plat qui faisait saillie au-dessus du Fleuve et regarda passer les eaux lentes et patientes. Il tua d'abord le temps en réfléchissant, car il était en avance et n'éprouvait pas d'inquiétude. Il laissa son cœur voguer avec le courant qui poursuivait son voyage éternel vers le nord. Cette eau-là, c'était la Terre Noire ; elle continuerait de couler longtemps après que les pyramides seraient réduites en poussière et que leur souvenir même serait perdu. Ce qui se passerait à présent, et qui semblait d'une importance si capitale pour lui et pour sa propre vie, n'affecterait pas l'avenir d'un iota. Il donna libre cours à son imagination. Peut-être d'autres pays existaient-ils, par-delà ceux qui bordaient la Grande Verte au septentrion et les forêts lointaines au sud. Y avait-il de la vie là-bas ? Seraient-ils eux aussi découverts un jour, explorés, colonisés ?

Il tressaillit. Que lui importaient toutes ces considérations ? Il n'était sans doute qu'un point infime dans le cours du temps et dans l'espace, cependant le monde immédiat auquel il était condamné l'entourait, comportant des problèmes dont la réalité, la gravité ne pouvaient être atténuées simplement en les relativisant. Un lion prêt à attaquer était ce qu'il était, si infimes que fussent le temps et l'espace occupés par cette action.

Le soleil baigna l'horizon occidental et enfin Huy sentit la fraîcheur du vent du nord sur son visage. Il ferma ses yeux fatigués lentement, avec gratitude. Mais il ne se détendit pas. Senséneb tardait trop. Il s'adossa contre un rocher et, au lieu de continuer d'attendre, monta la garde. Son apparente victoire sur Ay ne signifiait nullement que la partie était jouée.

L'obscurité s'abattit soudain, et aussitôt les pâles lumières qu'allume l'humanité pour l'éloigner apparurent sur les deux rives du Fleuve. Le rocher plat était situé au sud de la cité, en un lieu peu fréquenté la nuit. Senséneb, si elle était venue, aurait dû être là avant le coucher du soleil. Pourtant il attendit, bien qu'il sût désormais que c'était en vain. Au bout d'une demi-heure il se leva et, encore incertain de la conduite à tenir, reprit le chemin de la cité.

Avant même d'atteindre les faubourgs, il avait décidé de prendre le risque d'aller chez elle. Dans son cœur il passait en revue les différentes possibilités, cherchant à se rappeler une omission, un malentendu qui aurait pu provoquer cette situation. Il avait beau se dire que ce n'était certainement rien, il savait que toute erreur, toute irrégularité, toute promesse rompue, même minimes, étaient non seulement importantes mais vitales.

En parcourant les rues déjà désertes, il faillit se raviser et ne pas se rendre chez Senséneb. Il fallait absolument la tenir à l'écart de toute cette affaire. Mais une autre partie de son cœur voulait désespérément savoir ce qui lui était arrivé. Les ruelles étaient noires, ponctuées par instants de rais de lumière pâles tombant d'une fenêtre où brillait une lampe, mais la lune était encore assez vive pour illuminer le centre des voies les plus larges. Le char de Khonsou ne s'était pas assez éloigné de la terre pour qu'on n'en vît plus qu'un mince reflet d'argent.

Il marchait aussi silencieusement qu'un chat. Les rares personnes qu'il croisa le dépassèrent vite, se permettant à peine l'échange d'un regard pour se rassurer. Çà et là, au coin d'une rue, un débit de boissons mettait un peu de vie, mais ses fenêtres étaient petites et ne laissaient échapper que des sons assourdis.

Pour traverser la ville, il lui fallait passer par le quartier du port. L'idée lui vint, tout à fait irrationnelle, que Senséneb pouvait être allée chez lui, si bien qu'il bifurqua dans la contre-allée qui débouchait sur la placette. La ruelle étroite plongeait dans l'ombre. Huy n'avait pas fait dix pas qu'une main se referma sur son bras droit. Il s'arrêta net et tâtonna vers le coutelas passé à l'arrière de sa ceinture, mais au son de la voix il s'immobilisa.

« Huy ! »

Le visage de Senséneb sortit de l'obscurité, telle la lune de derrière un nuage.

Avant qu'il ait pu la questionner, elle porta le doigt à ses lèvres et lui fit rebrousser chemin. Elle semblait connaître aussi bien que lui les rues tortueuses du quartier. Après un court laps de temps, ils arrivèrent au bord du quai. Ils s'arrêtèrent près du mur d'un entrepôt d'où ils pouvaient surveiller toute approche.

« Que s'est-il passé ? » demanda Huy à voix basse.

Il était inquiet de sentir Senséneb s'accrocher à son bras, comme une enfant rendue à ses parents après avoir été battue. Calmement, délibérément, mais au prix d'un effort visible pour maîtriser sa voix, elle lui raconta tout.

« Je n'osais pas venir te retrouver de peur qu'il ne me suive. Aussi, j'ai feint plusieurs fois de faire des courses, après quoi je rentrais à la maison. Puis je suis ressortie et j'ai pris une voiture à bras. Je suis descendue au centre, au Grand Temple d'Amon. J'étais si terrorisée que mon idée première était d'amener Hapou. Mais ensuite j'ai pensé qu'il valait mieux qu'il garde la maison. Dès que j'ai eu la certitude que Mérinakhté ne n'avait pas suivie, je suis allée au quartier du port et je me suis cachée dans cette rue, là-bas, d'où je pouvais voir la place et ta maison. Je ne crois pas qu'on m'ait remarquée, bien qu'un homme m'ait arrêtée et m'ait proposé deux *deben* de cuivre pour aller avec lui. Je lui ai dit que je valais bien le double, et il est parti. »

Elle éclata de rire et presque aussitôt se mit à pleurer, doucement, douloureusement, tournant la tête vers Huy, se blottissant contre lui, au creux de ses bras. Il la tint tendrement, sans rien dire.

Enfin elle s'apaisa. Le kohol autour de ses yeux avait coulé avec ses larmes. Il le tamponna d'un coin de son écharpe et fut récompensé par un sourire.

« Qu'allons-nous faire ?

— Personne ne te trahira à Kenamoun, mais tu dois rentrer chez toi.

— Non !

— Ce n'est pas pour longtemps. Qu'as-tu dit, au juste, à Hapou ?

— Il sait que Mérinakhté n'est pas le bienvenu. D'ailleurs, il le déteste. Cette demeure était autant celle d'Hapou que la mienne.

— Quoi qu'il advienne, Hapou doit rester là-bas. Tu ne dois pas donner l'impression de préparer un départ imminent. »

Il leva la main pour prévenir toute objection.

« Tout va bien. Nous nous arrangerons pour que Hapou nous suive plus tard, s'il le désire.

— Quand partons-nous ?

— Bientôt.

— Mais mon père...

— Nous n'avons pas le temps d'en parler à présent. Mais n'aie crainte. Je viendrai te voir bientôt. Je prendrai toutes les précautions. Il faut que j'organise la fuite de la reine. Ay y a consenti mais je dois agir vite, au cas où il changerait d'avis.

— Puis-je t'aider ?

— Ton aide sera vitale, si tout se passe bien. Mais l'heure n'est pas encore venue. »

Il fit un geste pour se séparer d'elle. Elle le retint, lui caressa les lèvres.

« Huy...

— Sois courageuse.

— Je suis terrifiée.

— Moi aussi. »

Ils se sourirent, accolèrent leurs fronts et s'embrassèrent.

« Va, maintenant », lui dit-il.

Pendant que Senséneb se détachait de Huy pour fuir dans la nuit, Horemheb, dans la salle de travail enténébrée de son palais, abattait rageusement un poing énorme sur le bureau où était déplié un document. Les lampes qui y étaient disposées éclairaient par-dessous les deux hommes en face de lui, leur donnant l'aspect de démons. L'un avait une expression de plaisir mêlée d'embarras, l'autre avait l'air tendu et furieux.

« Ce que Inény vient de nous raconter est très intéressant, dit Horemheb, détachant son regard du serviteur de Ay pour le poser sur Kenamoun. C'est à se demander à quoi nos agents ont passé leur temps ! D'après tes rapports, je pensais que tout était en ordre.

— Mais tout est en ordre. Ceci est un fait nouveau, mais pas inattendu. »

Kenamoun s'humecta les lèvres. Encore Huy ! Il n'avait pas oublié leur rencontre, quelques années plus tôt, et son grand regret était de n'avoir pu en finir avec lui à cette époque. La gratitude qu'il avait été mal avisé de montrer au petit scribe pour son aide dans l'élucidation d'une affaire se retournait à présent contre lui.

« Ce Huy est un ancien serviteur du Grand Criminel, intervint Inény.

— Je sais, répondit Horemheb. Je l'ai rencontré en certaine occasion [1]. Nous l'avons sous-estimé.

— Il est insignifiant.

— Crois-tu ? Il est pour nous un sujet continuel d'irritation.

— Je sais où il habite. J'en fais mon affaire, dit Kenamoun, anxieux de reconquérir le terrain perdu.

— Sois prudent, dit Inény. Il est sous la protection de Ay. »

Kenamoun le toisa avec mépris. Plongé dans ses pensées, les épaules voûtées, Horemheb les ignorait l'un et l'autre. L'information d'Inény arrivait trop tard. Si cet homme avait décidé de changer de camp plus tôt, c'eût été différent. Il lissa le document qu'il avait chiffonné. Ay adressait une convocation urgente à Horemheb, au Grand Prêtre d'Amon et au vizir de la Terre du Sud afin qu'ils se rencontrent le lendemain matin. Que Ay eût soudain l'aplomb de le convoquer, lui ! était un choc. Il avait du moins l'avantage de savoir à quoi s'attendre. On parviendrait peut-être à lui faire obstacle, mais pas à le détruire. Et s'il devait laisser Ay coiffer le pschent et devenir pharaon, pourquoi pas ? Il avait dix ans de moins et Nézemmout était jeune. Elle lui donnerait d'autres enfants.

---

1. Cf. *La Cité de l'Horizon*, collection 10/18, 1995, n° 2568.

Néanmoins, il se serait volontiers dispensé de ce retournement de situation. Il leva les yeux vers les deux visages ténébreux, cupides et pleins d'expectative. Deux vampires de Seth, voilà ce qu'ils étaient. Il avait choisi les mauvais instruments pour mener son ascension.

Irrésistiblement, ses pensées se tournèrent vers les armées au nord. Il avait toujours été plus un soldat qu'un politicien. Il verrait ce qui pouvait être sauvé du naufrage. D'ici là...

Montrant Inény du doigt, il dit à Kenamoun :

« Paie cet excrément et occupe-toi de Huy. Maintenant. Ce soir. Personnellement. »

Il se leva et traversa la pièce pour se planter devant la fenêtre, leur signifiant leur congé par son dos tourné. Piètre vengeance que de tuer Huy. Comme de piétiner le scorpion par qui l'on vient d'être piqué. Il entendit sur le plancher les pas pressés des deux hommes qui s'en allaient.

Si Huy tuait Kenamoun, ce ne serait pas une bien grande perte. Kenamoun avait cessé d'être utile.

Après avoir quitté Senséneb, Huy rentra chez lui mais n'y resta pas longtemps. Il fit de rapides ablutions, se changea, remplit sa bourse et repartit rapidement, prenant la rue qui aboutissait à une autre petite place, presque aussi déserte que celle où il vivait. Mais au coin se trouvait une taverne aux murs défraîchis et, en face, une petite porte surmontée d'une enseigne éclairée par une lampe à huile : la Cité des rêves. C'était un bordel, un lieu familier qu'il fréquentait à l'occasion, de même que les bateliers, les commerçants et les artisans qui vivaient dans le quartier du port. Il était tenu par une grosse Nubienne nommée Noubenéhem, obèse au point d'être pratiquement incapable de quitter son divan, derrière la table basse d'où elle gérait ses affaires, à l'entrée. La pièce mal éclairée était dominée, ces jours-ci, par une statue du dieu Min paré d'une érection d'une longueur et d'une grosseur prodigieuses.

Noubenéhem était plus qu'une amie. Elle avait été la complice de Huy, sa pourvoyeuse et, de temps en temps, sa confidente. Mais il n'avait jamais encore sollicité une faveur comme celle-ci.

L'idée semblait boiteuse, même à ses propres yeux ; mais avec les talents médicaux de Senséneb et les innombrables contacts de Noubenéhem dans le quartier du port, il y avait une infime possibilité de réussite.

La grosse Nubienne s'occupait d'un client, un jeune homme malingre qui attendait avec nervosité que son père, tout aussi maigre, eût négocié le prix d'une fille pour son initiation. A la vue de Huy, l'adolescent se détourna et examina le mur avec une grande attention.

Le père essayait de faire baisser le prix.

« Mais il te faut une fille compétente, arguait Noubenéhem. Par les dieux ! Si tu le fais débuter avec une fille au rabais, quelle impression aura-t-il des femmes ?

— Je n'irai pas au-delà d'une pièce. »

Elle ouvrit les mains et fit mine de suffoquer, avec une expression comique de désarroi.

« Nous n'avons personne à moins de un *qite*. C'est notre premier prix. »

Elle feignit de réfléchir et adressa une œillade complice à Huy.

« Écoute, je vais te dire ce qu'on pourrait faire. La petite Kafy est entre deux clients — enfin, elle n'est pas si petite ces temps-ci, mais elle a beaucoup d'expérience. Je pourrais la lui laisser une demi-heure, pour seulement un *qite* et demi d'argent. L'homme qui vient d'entrer la connaît. Il se portera garant pour elle. »

Quand le marché fut conclu, que Kafy, soumise à

l'approbation paternelle, eut drapé son corps opulent autour du garçon craintif pour l'entraîner à l'intérieur du bordel, en compagnie du père méfiant, Noubenéhem se tourna enfin vers Huy.

« Est-ce que j'ai la berlue ?

— Tu ne semblais pas l'avoir, il y a quelques instants.

— Oh ! Ça va, Huy.

— Tu me considères comme un étranger ?

— Si tous mes clients étaient comme toi, j'aurais mis la clef sous la porte.

— Je suis venu te demander un service.

— Ah ! quel soulagement ! Rien qu'un tout petit instant, j'ai cru que je te manquais. Tu as vu comme Kafy a grossi ? Elle mange pour se consoler. Elle se languit de toi.

— Vas-tu m'aider ? »

Noubenéhem lui adressa ce qui chez elle tenait lieu de sourire : les plis autour de sa bouche se répartirent plus agréablement.

« Tu me connais. Si tu me paies, je t'aiderai. »

Huy s'humecta les lèvres.

« C'est si difficile que ça ? s'étonna Noubenéhem.

— J'ai besoin d'un corps.

— Quoi ?

— Un cadavre. Le cadavre d'une jeune fille. »

Malgré elle, Noubenéhem se souleva à moitié.

« Ça y est, il est devenu fou.

— Peux-tu m'en trouver un ?

— Non.

— C'est d'une extrême importance.

— Je peux te procurer toutes les filles vivantes que tu voudras. Mortes, elles ont besoin d'avoir la paix.

— Celle-ci aura la paix. Elle aura un plus bel enterrement qu'elle n'aurait jamais rêvé, et son *ka* résidera dans la Vallée.

— Quoi ? s'écria Noubenéhem, qui cette fois se leva pour de bon.

— J'ai besoin d'un cadavre, répéta Huy. Celui d'une fille qui ressemble à la reine Ankhsenamon. Tu l'as déjà vue ? Tu sais comment elle est, physiquement ?

— Oui, je l'ai vue. Mais ce que tu demandes est impossible. Bien sûr qu'il en meurt, des jeunes filles, mais pas sur commande. De toute façon, il te la faut pour quand ?

— Tout de suite.

— Soyons sérieux.

— D'ici deux jours.

— J'ai dit : soyons sérieux.

— Elle ne doit pas forcément lui ressembler trait pour trait. On change, dans la mort. Mais elle doit présenter une légère ressemblance, afin qu'à l'aide de maquillage, on puisse la faire passer pour la reine. »

Noubenéhem ne pipait mot. Elle regardait en elle-même. Du fond de la maison vinrent quelques accords de musique, maladroitement exécutés au luth, et un cri de plaisir simulé.

« Dans quoi t'es-tu fourré, Huy ?

— Je ne peux pas te le dire, et tu ne voudrais pas le savoir.

— Tu as raison, je ne veux pas. Tu es sûr de ne pas voler trop près du soleil, cette fois ?

— C'est comme quand on est sur une balançoire, répondit-il. Elle s'élève de plus en plus haut, en avant et en arrière, mais d'habitude, quand elle monte trop, il suffit pour l'arrêter de faire contrepoids. Ma balançoire à moi est fixée au ciel, elle m'entraîne de plus en plus loin, de plus en plus haut, au point qu'en baissant les yeux je vois la terre entière. Et je ne peux pas l'arrêter, Noubenéhem. Mon seul moyen de retrouver la terre ferme est de sauter.

— Quitte à te rompre le cou ?
— Ce risque existe. Mais je n'ai pas le choix. »
Noubenéhem resta silencieuse, mais pas longtemps.
« Je t'aiderai. »
Huy crut lire de la compassion dans son regard, toutefois l'astuce y reprit vite sa place.
« Ça va te coûter une somme rondelette. Je ne sais absolument pas si je peux te trouver ce que tu veux, et je ne sais pas quel prétexte je vais inventer pour empêcher les langues de caqueter. Par bonheur, dans cette partie de la ville la mort est fréquente et la population changeante. Il me faut l'acompte de suite.
— Combien ? » demanda Huy, ouvrant sa bourse.

Une fois l'affaire convenue, il traversa rapidement la place pour se rendre à la taverne, où il commanda une cruche d'alcool de figue et un bol de graines de tournesol. Il trouva de la place sur un banc et s'y faufila, le dos au mur, parcourant des yeux la petite salle toute simple et ses compagnons. Tous étaient du quartier, certains comptaient parmi ses connaissances, et il vivait là depuis assez longtemps pour ne pas être pour eux un objet de curiosité.
Il avait besoin de réfléchir aux moyens de financer la fuite de la reine sans sa coopération. Il doutait que Ay endosserait en totalité la location d'un bateau et la rémunération de Noubenéhem. Il but un peu d'alcool, qui était de mauvaise qualité et lui brûla le gosier. Peut-être serait-il contraint de mettre Ay complètement dans la confidence.
Beaucoup plus tard, toujours irrésolu, il rebroussa chemin vers sa maison.
Il arrivait sur la place quand il eut la sensation de quelque chose d'anormal. Il resta immobile, tapi dans l'ombre d'un bâtiment. Certains des marchands n'avaient pas démonté leurs étals vétustes. D'un tas

abandonné de sacs en grosse toile, qui avaient contenu des fruits, sortit le museau, puis le corps d'un gros rat noir. Rassuré, le rongeur traversa le centre de la place en trottinant. Huy le suivit des yeux jusqu'à ce qu'il disparût dans l'ombre du mur d'en face. Il attendit encore, vif comme un renard en plein désert, mais rien ne bougea.

Enfin il se remit en route mais, loin d'éprouver la confiance du rat, il longea les murs jusqu'à sa porte. Il ne remarqua toujours rien, ni rien encore lorsqu'il entra ; mais la sensation de malaise ne le quitta pas. Sans bruit, il gravit les marches étroites qui conduisaient à la chambre à coucher. Tout était tel qu'il l'avait laissé. Il redescendit et traversa la pièce principale pour gagner la salle de bains à l'arrière, où il remarqua au passage qu'il n'avait pas rempli le seau à eau en bois. Dans la petite arrière-cour, tout était désert.

Il revint vers l'avant de la maison, mais il avait relâché sa vigilance et ne vit pas le couteau à temps. La lame jaillit, entaillant sa joue jusqu'à l'os qui bloqua le coup juste sous l'œil gauche. Le souffle coupé, il recula, conscient de la lenteur de ses gestes engourdis par l'alcool. Le sang qui emplissait sa bouche le suffoquait. Ses yeux larmoyaient, il ne distinguait pas clairement la silhouette maigre devant lui.

« Salut, Huy », dit Kenamoun.

Le couteau plongea à nouveau, mais Huy parvint à se dérober et la lame fendit l'air.

« Sale petite vermine ! Tu as failli causer ma perte ! »

Remarquant son essoufflement, Huy se demanda si l'homme était capable de se battre. Ses gestes étaient rapides, sans nul doute. Il tenta de riposter, mais le sang continuait de se répandre dans sa bouche. Il allait s'y noyer. Il se força à respirer par les narines, cependant la lame avait touché l'arrière-nez, qui lui aussi s'obstruait. Il cracha un flot de sang et respira avidement par la bouche.

Kenamoun devait constater le piteux état de sa victime car il se détendit, se redressa et relâcha sa prise sur son couteau. Il repoussa Huy doucement, du plat de la main. Huy recula en vacillant jusqu'à la salle de bains, mais conserva l'équilibre.

« Tu meurs », dit Kenamoun, le poussant à nouveau, fort cette fois.

Crachant et suffoquant, Huy s'affala contre le mur, les bras en croix, cherchant à tâtons un point d'appui tandis qu'il s'affaissait sur le sol.

Kenamoun se pencha sur lui. A travers une brume sanglante, Huy vit le rictus, la barbe dessinée au pinceau.

« Je pense que tes prétentions ont été bien au-dessus de ta condition, Huy. Si le serviteur replet de Ay n'était pas devenu gourmand, ton petit complot de palais m'aurait coûté la tête. Tout est rentré dans l'ordre, c'est pourquoi je suis ici. On m'envoie te tuer. Mais d'abord, je pense que tu mérites d'être raccourci à ta juste taille. »

Sous les doigts de sa main droite, Huy avait trouvé l'anse du seau de bois. S'il avait pensé à le remplir, l'ustensile aurait été trop lourd. Comprenant que Kenamoun savourait son heure de triomphe, il respira à pleins poumons pour se préparer à l'effort, souleva le seau et le balança violemment à bout de bras. Le pourtour de cuivre heurta Kenamoun à la tempe et Huy entendit les os craquer. Il sentit plus qu'il ne vit l'homme tomber, et perçut le tintement de la lame sur la dalle de pierre. Le sang emplissait son univers. Il frappa aveuglément pour se défendre tout en s'agenouillant, mais ne rencontra que le vide. Il avança en rampant sans lâcher le seau, et tendit la main gauche dans la direction où Kenamoun était tombé.

Sa main effleura l'étoffe d'une tunique puis se posa sur la poitrine de son ennemi. Kenamoun roula sur lui-même pour se mettre hors de portée. Huy glissait dans son propre sang. Sous lui, il distinguait à peine un objet allongé, pareil à un tapis roulé, qui se balançait d'avant en arrière, d'avant en arrière. Il souleva le seau au-dessus de sa tête et l'abattit de toutes ses forces, étranglé, étouffé par le sang qui moussait dans sa gorge et bouchait ses narines. Recouvrant l'équilibre, il fut pris de panique car il ne voyait plus le corps. Kenamoun s'était-il relevé ? Avait-il repris son couteau ?

Il plissa les yeux, palpa le sol, traînant toujours le seau dans sa progression. Voilà ! Il s'était simplement mis hors d'atteinte en roulant sur lui-même. Huy essaya de déterminer de quel côté se trouvait la tête. Les objets flottaient sous ses yeux ruisselants ; sa vue était brouillée par le sang et les larmes. Soudain, il eut conscience de doigts qui se tendaient vers lui. Les ongles de Kenamoun se plantèrent, s'enfoncèrent dans sa joue blessée. Huy souleva le seau et frappa, pensant : « Ça, c'est pour Néhésy », mais ressentant aussi : « Et ça, c'est pour moi. Tu dois mourir. Je dois être sûr que tu es bien mort. Je te redoute trop. » Le seau heurta le sol, lui échappa des doigts. Il entendit le craquement du bois fendu. Frénétiquement, il rampa, saisit le seau et le souleva à nouveau. Cette fois, il visa juste et Kenamoun, après une convulsion et un long râle qui fut l'unique son qu'il proférait depuis qu'il était tombé, s'immobilisa pour l'éternité.

# 10

Elle nettoya délicatement le sang coagulé et la chair déchirée, jetant au feu le tampon de lin dont Huy s'était servi pour étancher la plaie. Elle examina la blessure ; assis, immobile et passif, Huy la regardait. Elle croisa brièvement son regard et sourit.

« C'est un beau gâchis ! Je vais y appliquer une préparation qui va te faire mal, ensuite tu devras boire trois verres d'alcool parce que ce sera encore plus douloureux quand je recoudrai, et je veux que tu te tiennes tranquille. Je vais faire de mon mieux, mais tu conserveras toujours une cicatrice. »

Elle se tourna vers le feu, où des plantes infusaient dans un petit chaudron en cuivre. A travers la porte ouverte sur le jardin, il voyait Hapou cueillir du cerfeuil, de la coriandre et de l'aneth. Les deux oies *ro*, qui faisaient leur promenade matinale, vinrent jeter à l'intérieur un regard inquisiteur. Huy était assis à une table en bois de sycomore. La pièce était haute, blanchie à la chaux, dénuée de tout ornement. Contre le mur, en face de la cheminée, un lit dur était surmonté d'étagères où étaient rangés des pots, des cornues et des instruments en bronze. C'était l'ancien cabinet de consultation de Horaha, et c'est là qu'elle l'avait conduit sitôt qu'il était arrivé, à la neuvième heure de la nuit.

Elle ne lui avait encore demandé aucune explication ; Huy était trop exténué pour en donner. Il était heureux de s'abandonner aux soins habiles de Senséneb, et reconnaissant de sa retenue.

La lampe sur la table brûlait encore, bien que le soleil fût levé. Combien de temps Horemheb attendrait-il que Kenamoun revienne lui faire son rapport avant d'envoyer quelqu'un à sa recherche ? Huy pensa au chef de la police gisant, le crâne fracassé, bras et jambes écartés, dans la salle de bains de sa demeure. Il l'avait dissimulé sous une couverture avant de partir, trouvant tout juste la force de fermer ses portes à clef. Il savait que sans le secours de la médecine il s'effondrerait, et instinctivement il était venu chez Senséneb, s'étant mis en chemin sans tarder afin d'arriver avant l'aube.

Elle ôta le récipient du feu et le posa sur la table, y trempa un linge doux et se tourna vers lui. Le liquide exhalait une odeur âcre et déplaisante.

« Et maintenant, courage », lui dit-elle.

L'eau bouillante cautérisa la chair, et d'abord l'effet de la potion fut une douleur cuisante qui irradia dans tout le visage ; mais elle fut suivie d'un engourdissement apaisant.

« Ça va ?

— Oui.

— Bien. Maintenant, on attaque le plus difficile. »

Elle lui adressa un sourire d'encouragement. Sans qu'aucun mot fût prononcé, chacun d'eux avait mis de côté les dernières réserves qu'il nourrissait sur l'autre, et ils baignaient tels des lézards au soleil dans la confiance de leurs cœurs. Huy se voyait dans les yeux de Senséneb comme elle se voyait dans les siens.

Elle apporta l'alcool et le plaça tout près de lui, ainsi qu'un gobelet. Elle se tourna pour appeler Hapou qui entra, sourit à Huy et prit position derrière la chaise.

« Des nouvelles de Mérinakhté ?

— Non. Il n'est pas revenu, répondit Senséneb, la mine grave. Mais Hapou veille à ce que le portail extérieur soit fermé, et aujourd'hui il sera à la Maison de Vie. Il a déjà remplacé mon père dans ses fonctions.

— Je plains ses patients.

— Tu as tort. C'est un médecin de grand talent. D'une certaine façon, son *ka* est déchiré en deux.

— C'est un homme dangereux.

— Oui. Maintenant, bois les trois verres d'alcool. Cela suffira à endormir la douleur. Quand je commencerai, je travaillerai vite. Serre fort les côtés de la chaise. Hapou te tiendra pour t'immobiliser. Aie confiance en lui. Cela ne sera pas long. Veux-tu que nous te bandions les yeux ?

— Non », dit Huy, qui n'en ressentit pas moins de l'inquiétude au fond du cœur.

Elle tira du feu un petit récipient, l'apporta sur la table, se lava les mains puis, ôtant le couvercle, en sortit une aiguille fine dans laquelle elle passa un fil en boyau. Huy but. L'alcool lui embrasa la gorge et l'estomac, laissant derrière lui la douce chaleur familière. L'ancien scribe avait pris l'habitude de boire plus que de raison, et il craignait que trois verres fussent inopérants, mais lorsqu'il eut vidé le troisième la tête lui tournait. Il sentit Hapou le clouer contre le dossier de la chaise et agrippa consciencieusement les côtés.

Senséneb s'approcha et posa la main sur sa joue en plaçant les doigts de part et d'autre de la plaie. Huy vit l'aiguille s'approcher de son œil.

« Maintenant », dit-elle doucement.

Elle travailla vite, comme elle l'avait promis, et la vive douleur de l'aiguille transperçant la chair passa presque aussitôt commencée. Lorsqu'elle eut terminé, elle recula en contemplant son œuvre.

« Bien ! » dit-elle, et elle lui tendit un miroir en bronze.

Il examina la blessure. Elle était livide, et les points entrecroisés lui donnaient l'aspect d'un pirate du Fleuve dessiné par un enfant, mais ce visage était le sien, à nouveau bien reconnaissable.

« A présent, tu dois te reposer.

— Non.

— Tu n'as pas le choix.

— Je n'ai pas le temps.

— Tu dois le prendre, insista-t-elle en lui nettoyant la joue à l'eau. Tu peux l'employer à me raconter ce qui t'est arrivé. J'ai cru mourir de frayeur lorsque je t'ai vu entrer. »

Il lui dit tout, et elle l'écouta gravement.

« Il y a plus, ajouta-t-il.

— Quoi ?

— Je prépare tout pour que la reine Ankhsenamon parte dans quelques jours. Je veux que tu l'accompagnes.

— Où ?

— Au sud. J'aimerais que tu l'emmènes à Napata. »

Elle fronça les sourcils.

« Je te l'ai dit, je ne partirai pas d'ici avant d'avoir assisté à l'enterrement de mon père. Et je ne partirai pas sans toi.

— Plus tu restes, plus le danger grandit, dit-il en la prenant dans ses bras.

— Kenamoun est mort.

— Oui. Et cela ne peut rester longtemps un secret. Quand on le découvrira, qui sait ce qui en résultera ? J'ai parlé à Ay, poursuivit-il. Il se porte garant de la conformité des obsèques et des dévotions rendues au *ka* de ton père.

— Crois-tu qu'il tiendra parole ?

— S'il monte sur le Trône d'Or, il n'aura aucune raison d'agir indignement.

— Ta candeur est touchante, dit-elle en souriant.

— Non. Il voudra produire une bonne impression sur le peuple. Horaha était un serviteur loyal de Toutankhamon. N'oublie pas que les morts sont toujours auprès de nous. Ils nous observent.

— Le crois-tu ?

— La question n'est pas ce en quoi je crois, mais ce qui est admis, éluda Huy en évitant son regard.

— Et que feras-tu, pendant que j'escorterai la reine jusqu'à Napata ?

— Je m'assurerai qu'on ne vous suit pas. »

Elle prit le visage de Huy à deux mains afin qu'il ne puisse pas détourner la tête.

« Tu ne chercherais pas à te débarrasser de moi, par hasard ?

— Que te dit ton cœur ? »

Elle baissa les yeux et le lâcha.

« Tu exiges beaucoup de moi.

— Les risques sont grands, que nous restions ou que nous partions. Les chances sont plus grandes si nous partons. »

La matinée était bien avancée quand il traversa le quartier palatial pour rendre visite à Ay. C'était la première fois qu'il venait sans être attendu, et il restait sur ses gardes, au cas où Inény serait là. Mais si l'on n'avait pas encore découvert le cadavre de Kenamoun, le secrétaire n'aurait aucune idée que Huy était informé de sa trahison. Il fallait bien courir le risque.

Il se dirigea vers une entrée latérale, montra l'insigne de sa fonction au garde et fut admis à l'intérieur. Mais le domestique qui vint l'accueillir lui annonça que Ay était en consultation avec Horemheb et les hauts dignitaires de la cité, et le fit patienter dans une antichambre étouffante. Huy n'avait pas le choix.

Quand Ay le reçut, il était d'humeur réjouie. Huy n'avait pas eu longtemps à attendre, bien que cette demi-heure lui eût paru une éternité et que par la fenêtre le soleil eût semblé immobile dans le ciel.

« Nous nous retrouvons plus tôt que je ne le pensais, observa le vieil homme. Des ennuis ?

— Oui. »

Ay fut immédiatement sur le qui-vive, mais son sourire ne s'altéra pas.

« J'imagine que nous pouvons y remédier. Que s'est-il passé ?

— Tout d'abord, je dois être sûr de ta confiance.

— Tu l'as déjà. Et ma gratitude. Nous sommes seuls, personne ne se dissimule dans l'ombre. Parle librement.

— Inény t'a trahi à Horemheb. »

Le Maître des Écuries n'eut pas l'air surpris.

« Si c'est vrai, c'est trop tard. J'ai songé à ta menace d'aller trouver Horemheb si je n'agissais pas comme tu le requérais. Aussi ai-je décidé de prendre les devants et de tout lui dire moi-même. Bien entendu, il fut nécessaire de... broder quelque peu, mais il voit la situation telle qu'elle est. Sois bref. J'ai peu de temps. Il reste de nombreux préparatifs à faire.

— Des préparatifs ?

— En vue de mon intronisation. Tu contemples la face du prochain pharaon. »

Huy resta silencieux, puis sourit.

« Tu n'as jamais cru en la force de ma menace, n'est-ce pas ?

— Je savais que tu m'avais donné assez d'informations pour pendre Horemheb, à condition d'agir vite.

— Et donc tu m'as pris de vitesse.

— Tu es un homme plein de finesse, Huy, comme

je l'ai dit plus souvent qu'il ne me plaît de m'en souvenir. Mais Horus lui-même n'a qu'un œil, alors comment blâmer un simple mortel de manquer de clairvoyance ? J'ai fait mettre en lieu sûr le char et les chevaux du roi. J'ai envoyé des hommes chercher le corps du traqueur. J'ai fait boucler le quartier des chasseurs et interner ses occupants. Je sais frapper vite lorsque c'est nécessaire. On croit que parce que je suis vieux, parce que j'avance avec prudence, je ne puis agir quand je le veux ; mais aucun cobra n'est plus preste que moi. Et tu m'as donné tout ce dont j'avais besoin.

— Gloire et Puissance à toi, Khéperkhépérourê Ay. »

Huy se félicita intérieurement d'avoir tant tardé à lui faire des révélations. Le vieil homme retrouva le sourire, mais ses yeux étaient voilés.

« Parle-moi d'Inény. Comment as-tu appris la vérité sur son compte ?

— Par Kenamoun. Horemheb l'a envoyé me tuer, la nuit dernière.

— Et le chef de la police, où est-il à présent ? interrogea le futur pharaon en levant les sourcils.

— Chez moi.

— Mort ?

— Oui.

— A voir ton visage, il t'a manqué de peu.

— J'ai vu la voile de la Barque de la Nuit. »

Ay regarda le soleil par la fenêtre.

« On doit le faire disparaître au plus vite.

— Oui.

— Ne te soucie pas de Horemheb. Trop de choses requièrent sa réflexion pour qu'il s'inquiète d'un pion perdu au *senet*. Mais il ne laisse rien au hasard.

— C'est pourquoi je suis venu te demander ton aide.

— Qu'est-ce qui te fait penser que je te l'accorderai ?

— Tu as ce que tu voulais. »

Ay eut un petit rire sec.

« Oui, en effet. Et quelque chose me dit de te garder dans mon camp, Huy. Ne veux-tu vraiment pas te joindre à moi ? Tu pourrais être scribe aîné ici, dans le quartier palatial. Cela te plairait-il ? Gardien des archives royales, par exemple ? »

Le cœur douloureux, Huy savait que la décision ne lui appartenait plus. Certainement pas en cet instant. De toute manière, il ne prévoyait pas un long règne pour l'homme qu'il avait devant lui.

« Tu es généreux. Mais j'ai une tâche à terminer.

— Ah ! oui, dit Ay, agitant la main. La petite Ankhsi. Eh bien, emmène-la puisque tu le dois. Elle ne sera pas un danger pour moi, et nous avons eu assez d'effusions de sang. Mais n'oublie pas Horemheb. Je n'ai pas la naïveté de penser qu'il se tiendra longtemps pour battu. Si tu veux mon appui, tu dois me révéler tes plans.

— Et Kenamoun ?

— Laisse-moi faire. Ne rentre pas chez toi cette nuit. Au matin, seul restera le souvenir de sa visite. »

Huy passa une grande partie du jour près du port. Sa blessure lui élançait, mais il n'avait pas de miroir pour juger de son apparence et il n'avait pas l'intention de retourner chez Senséneb. Ici, même s'il attirait quelquefois les regards, les gens avaient trop à faire pour lui accorder beaucoup d'attention tandis qu'il se mêlait au groupe habituel de badauds observant les manœuvres de chargement des navires. De larges bâtiments en cèdre, venus de l'est de la Grande Verte, du pays où les arbres verdoyaient ; des convoyeurs d'or en provenance du sud ; des barges transportant le calcaire du nord, le grès et le granit de la Première Cataracte.

Sur trois vaisseaux-faucons[1] embarquait un régiment en partance pour le Delta. Des messagers avaient apporté la nouvelle qu'une armée hittite se constituait avec pour destination, selon la rumeur, le désert du septentrion. Les soldats étaient des jeunes conscrits couverts de poussière et pleins d'appréhension, des petits paysans que tout le monde espérait voir de retour lorsque les eaux se seraient retirées, pour travailler la terre noire au début de *peret*.

Parmi les navires, Huy en chercha un qui appartînt à Taheb, mais il n'en vit aucun, pas plus qu'un seul visage de connaissance. Le jour s'écoula lentement, mais il eût été vain de rendre visite à Noubenéhem avant le soir. Alors, si elle avait réussi à satisfaire sa demande, tout irait très vite. Ay avait réagi au plan avec scepticisme, mais n'avait pas refusé de s'y prêter. Dorénavant, Huy ne serait plus forcé de tout orchestrer par lui-même, et sa demande de fonds n'avait pas été rejetée ; mais Ay par ses manœuvres avait déjoué ses plans, et il ne parvenait pas à accorder sa pleine confiance à ce nouvel allié qui s'imposait à lui.

Enfin les ombres s'allongèrent et le soleil se fit moins chaud, se parant d'un rouge ardent, grandissant comme toujours à l'approche de sa mort quotidienne, sombrant dans des lueurs émeraude sous l'extrémité du monde pour réchauffer le Royaume d'Osiris. La foule de portefaix et de marchands, de colporteurs et de débardeurs, de marins et de flâneurs se dispersa rapidement, chacun rentrant chez soi ou se hâtant vers les auberges et les tavernes dont les propriétaires allumaient déjà des lampes avares aux murs de brique crue.

---

1. Ainsi dénommés en raison de leur rapidité. (*N.d.T.*)

Huy emprunta la pente qui remontait vers les ruelles et arriva devant la porte de la Cité des rêves au moment précis où le crépuscule cédait la place à la nuit.

Noubenéhem leva la tête à son entrée. Il sut aussitôt qu'elle n'avait pas de bonnes nouvelles pour lui.

« A quoi t'attendais-tu ? dit-elle. Cette idée-là était insensée.

— Il reste du temps.

— Pas la moindre chance, protesta-t-elle en riant. Je me suis déjà informée tout autour de moi, et c'est un genre de question qui pousse les gens à s'en poser. Si tu tiens à garder ton projet secret, ne viens pas me demander mon aide. Et, ajouta-t-elle après un bref silence, la maison ne rembourse pas.

— Essaie encore. Il reste un jour.

— Je ne veux pas courir le risque davantage, répliqua la grosse Nubienne, le visage fermé. Au train où vont les choses dans cette ville, il est malsain de faire des faveurs, même minimes, à des amis.

— Tu as pourtant été bien prompte à accepter l'argent.

— Je ne suis pas Hathor ! Je ne peux rien pour toi », conclut-elle en lui lançant un regard noir.

Huy partit, le cœur palpitant. Cette idée-là laissait trop de part au hasard. Il faudrait emmener Ankhsenamon sans la faire passer pour morte, au risque d'être poursuivi. Il retourna chez lui et observa sa demeure de loin, mais elle était aussi vide que la place. Il ne pouvait aller chez Senséneb, car il ignorait si Mérinakhté la surveillait. Il songea à Taheb, mais rejeta bien vite cette pensée. Désormais, il ne pouvait plus s'aveugler sur un fait dont il avait conscience depuis longtemps : son genre de vie excluait toute amitié. Il rebroussa chemin vers le port et la lumière des tavernes.

A l'aube, dans la salle de travail de son maître, Inény attendait en se disant qu'il l'avait échappé belle. Bien qu'il eût depuis longtemps dissimulé le sac en cuir plein d'or que Kenamoun lui avait remis avec tant de mépris, sa main s'en rappelait le poids. L'humiliation l'avait piqué au vif, mais ce qui l'horrifiait le plus était le risque qu'il avait pris. Il transpirait de soulagement à l'idée qu'il s'en était tiré, qu'il était toujours dans le camp du vainqueur. Kenamoun était mort. Horemheb avait mieux à faire que de le trahir à Ay et ne paraissait pas désireux d'acheter ses services. Avec chaleur et gratitude, Inény pensait à l'homme qu'à peine quelques heures plus tôt il avait tenté de détruire. Une fois Ay pharaon, quelles voies ne s'ouvriraient pas à lui !

La table de travail n'était chargée d'aucun document, et Inény attendait toujours, indécis. Dix minutes avaient passé depuis que le domestique l'avait fait entrer. Devait-il s'installer sur son siège habituel ? Pour quelque obscure raison, celui-ci paraissait moins engageant, moins sûr qu'avant. Malgré lui, il se sentait comme étranger dans cette pièce.

Il n'y avait pourtant rien d'anormal dans le comportement de Ay lorsqu'il entra, aussi Inény se sentit-il rassuré.

« Assieds-toi, je te prie », dit le vieil homme en lui indiquant le siège et en prenant place dans son fauteuil.

Il prit la cruche de vin posée avec des gobelets sur la table et le servit lui-même. Conscient de l'honneur qu'on lui faisait, Inény bomba le torse. Il n'avait pas mérité pareil destin, mais sa conscience l'encourageait déjà à considérer son acte de trahison comme une aberration. Voilà pourquoi les dieux l'avaient fait échouer !

« Merci, seigneur », dit-il, se levant pour accepter le verre qu'on lui offrait.

Il resta debout. Quelque chose dans l'expression de Ay le fit hésiter.

« Bois, l'encouragea son maître. A mon avenir ! »

Inény continuait de tenir le verre sans se rasseoir. Au fin fond de son estomac, son instinct lui disait de prendre garde, mais il n'avait pas d'échappatoire. Un mouvement se fit dans la pièce et, tournant légèrement la tête, il vit que deux des serviteurs attitrés de Ay étaient entrés. Ce dernier se carrait contre son siège et l'observait avec un détachement un peu amusé, les commissures des lèvres presque imperceptiblement retroussées. Un des hommes s'avança et se pencha vers Ay en chuchotant. Ce dernier hocha la tête, satisfait. Il considéra Inény avec indulgence.

« Bois », répéta-t-il.

Il n'y avait pas d'issue. Ce n'était peut-être rien, après tout. Il leva la coupe puis, dans un sursaut de témérité, la vida.

Pendant un moment, rien d'inquiétant ne se produisit. Il regarda Ay et remarqua même le changement qui s'était opéré sur sa physionomie. Dans ces instants ultimes de son existence, il comprit que Ay savait. Mais comment ?

Alors une douleur perça son crâne tel un ciseau de bronze s'enfonçant au centre de son front et le pourfendant. En même temps son estomac se révulsa, mais quand il vomit, seule de la bile monta à ses lèvres. A cette seconde la lumière du soleil levant explosa dans la pièce, l'emplissant, sembla-t-il à Inény, d'un éclat blanc qui masquait tout le reste, et dont la puissance grandit et grandit, jusqu'à devenir l'univers. Et tous deux ne firent plus qu'un.

# 11

« Qu'est-il arrivé à ton visage ? »

Dans la fascination d'Ankhsenamon entrait une part d'inquiétude. Huy s'en réjouit. Cela signifiait qu'elle commençait à voir en lui une chance de survie. Si quoi que ce fût lui arrivait, elle en pâtirait. Sa petite main s'éleva pour toucher la joue déchirée. Ses doigts étaient frais et pleins de bonté.

« On m'a attaqué, c'est tout », répondit Huy.

Il n'était toujours pas retourné chez lui et l'activité intense de ces derniers jours l'avait épuisé. Il lui semblait que des semaines avaient passé depuis l'affrontement avec Kenamoun.

« C'est tout, vraiment ! »

Elle avait pris un ton impérieux. Nul ne devait oublier qui elle était, or il avait répondu d'un ton trop brusque, irrespectueux. De plus, on avait osé maltraiter un des siens. Dans son cœur, Huy commençait-il à faire partie de la famille ?

« Je t'en supplie, ne me pose pas de questions maintenant, dit-il plus humblement. Je voudrais solliciter une faveur.

— Parle. »

Il pesa ses mots avec soin.

« A présent que le grand dieu Amon a décrété que ton grand-père serait l'héritier de Nebkhépérourê Toutankhamon, l'enterrement du Dieu-Roi aura lieu dans les formes. Nous devons absolument quitter la cité.

— N'essaie pas de m'abuser par ton discours ampoulé. La véritable raison pour laquelle il faut partir est que Horemheb n'a pas renoncé, même si le Trône d'Or lui échappe pour l'instant.

— Oui, ma reine.

— C'est bien ce que je pensais, dit-elle en souriant. Mon cœur me parle, maintenant que le roi est mort. Je commence à vivre davantage pour moi et pour le pharaon que je porte.

— Puisse-t-il siéger sur le Trône d'Or !

— Ou puisse-t-*elle* !

— Certes. Mais cela est rare.

— Cela s'est déjà vu. Makarê Hatchepsout fut pharaon en son temps.

— Ne sommes-nous pas en train de rouvrir un vieux débat ? »

Elle sourit.

« Je suis satisfaite de partir, si j'ai l'assurance de Ay que la succession sera transmise à l'enfant qui croît dans mon sein.

— Je suis certain qu'il te la donnera. Je m'en porte garant.

— Puis-je me fier à toi ?

— Oui. »

Huy avait le cœur creux. Quelle pollution avait touché la pensée de l'homme, si l'on en était à user de duplicité pour assurer la sécurité des innocents ! Confiance, devoir, espérance, autant de notions que l'homme n'aurait jamais dû posséder : il n'en était pas digne.

« Mes gens me disent que Horemheb est ulcéré. Kenamoun est mort. Le général pense que les agents de Ay l'ont supprimé. On parle d'un corps aperçu en aval par un pêcheur, alors que la barque *matet* s'élevait dans le ciel. Mais les crocodiles l'ont entraîné dans les profondeurs.

— J'ai besoin de ton concours.

— En quoi puis-je t'aider ?

— Pour partir d'ici, nous devons voyager sur le Fleuve.

— En effet.

— Je ne peux, seul, faire affréter un navire. Nous devons partir discrètement. Je t'en conjure, comprends à quel point cela est nécessaire. »

Sans pouvoir en expliquer la raison, Huy espérait encore laisser derrière lui des preuves convaincantes de la mort de la reine. Il s'attendait à ce qu'elle se montre maussade, mais son humeur avait changé et elle entra dans la conspiration avec enthousiasme.

« Tu pourrais le demander à Taheb, suggéra-t-il.

— Pourquoi ne t'en charges-tu pas ?

— Je ne peux pas.

— Pourquoi ? Tu l'as bien connue, autrefois.

— Oui. Autrefois.

— Doutes-tu que l'on puisse lui faire confiance ?

— Aucunement. Mais une démarche de ma part serait malséante.

— Pourquoi donc ? » insista la reine.

C'était une question de fierté. Mais la principale raison était que Taheb ne discuterait pas si la demande provenait de la reine elle-même.

« Parce que nous ne connaissons plus l'intimité d'antan. Mais n'était-elle pas une amie de la cour ? Je l'ai vue aux noces de Nézemmout et de Horemheb.

— Où irons-nous ? s'enquit pensivement la reine.

— D'abord, à Napata.

— Mais c'est au sud !

— Le peuple y est loyal. Nous ne trouverons au nord qu'un danger plus grand. Et tu ne peux rester ici.

— Tu me l'as déjà dit. »

Elle observa un long silence, puis reprit d'un ton glacial :

« Il faudrait donc, dis-tu, que je le lui demande ?

— Que tu le lui dises, rectifia Huy, luttant contre la fatigue.

— Que je le lui ordonne. »

Il se tut.

« Taheb nous aidera, poursuivit la reine avec finesse. Pourquoi crois-tu que mon petit réseau de renseignements est le seul, au palais royal, qui soit resté efficace et fidèle ? »

Elle s'interrompit tristement.

« Mais à présent lui aussi commence à se défaire. Bien sûr, je l'admets, il faut partir. »

Quand Huy regagna sa maison, il eut peine à la reconnaître. Rien ne manquait, mais plus rien ne traînait. Tout, jusqu'aux rouleaux de papyrus sur les étagères, était rangé méticuleusement, et les effigies de Bès et d'Horus qui présidaient sur la pièce centrale étaient exemptes de poussière et de sable pour la première fois depuis des années. La cour était balayée, la salle de bains si nette et propre qu'il semblait inconcevable que, deux nuits plus tôt, elle eût été la scène d'un combat sanglant et fatal.

Il parcourut les pièces qu'il lui faudrait bientôt quitter à jamais. A qui confierait-il cette maison, dont les bras avaient accueilli et protégé son corps meurtri au terme de tant de jours solitaires et désespérés ? Il n'en aurait pas le temps. Il mettrait le verrou et partirait, voilà tout. Sans nul doute, un petit fonctionnaire viendrait plus tard fouiner partout, car la demeure n'était pas conforme aux principes en vigueur sur la propriété. Un temps viendrait peut-être où les gardiens de la conformité contrôleraient toute vie.

Il trouva le billet dissimulé soigneusement sous la

statuette de Bès. Un bout de papier portant le cartouche de Ay. Restant seulement le temps de se laver, de se raser, d'appliquer à nouveau du maquillage et de se changer, Huy ressortit pour voir le futur pharaon.

Deux fois plus de soldats arborant la livrée de Ay montaient la garde, parmi lesquels il reconnut plusieurs anciens membres des Mézai Noirs ; toutefois Ay l'attendait et on le fit entrer. Le vieil homme le reçut dans une salle comble, au milieu des allées et venues des serviteurs et des scribes. A deux tables, des secrétaires délivraient des ordres écrits. On aurait pu s'attendre à voir Inény jouer un rôle majeur dans les préparatifs exigés par le nouveau statut de Ay, toutefois Huy s'abstint de s'enquérir de lui.

Ay paraissait plus jeune que jamais et se tenait aussi droit qu'un adolescent. Ses cheveux venaient d'être teints et sa peau ointe d'huile. Il portait une coiffure bleu et or, une longue tunique crème, et un pagne plissé descendant sous le genou. Ses sandales, en cuir lustré, étaient ornées d'attaches d'or figurant des serpents et des scarabées. Il était lourdement parfumé au *seshen*[1] et son maquillage était pâle comme le voulait la mode. Son collier massif était assorti à sa coiffure, et le *mankhet* d'or qui faisait contrepoids dans son dos était en forme d'amulette *djed*[2].

Il était déjà roi.

« Huy !

— Mon seigneur...

— J'ai de bonnes nouvelles pour toi, annonça Ay avec un sourire radieux.

— De quoi s'agit-il ?

---

1. *Seshen* : plante dont l'huile essentielle était utilisée comme parfum. (*N.d.T.*)

2. *Djed* : signe représentant de façon stylisée la colonne vertébrale, l'« épine dorsale d'Osiris », siège du fluide vital. (*N.d.T.*)

— Du moyen d'assurer la réussite de ton plan. Les dieux nous ont envoyé un présent. Bien sûr, ce qui est pour nous un heureux coup du sort est également une tragédie. Mais si la vie répond à un dessein, peut-être la mort en fait-elle autant.

— Que s'est-il passé ? »

Huy ressentait des picotements dans les yeux. Il battit des paupières et se força à être attentif. Le kohol qu'il avait appliqué avait bavé sur ses cils inférieurs et lui brouillait la vue.

« Je dispose d'un corps que tu pourras inhumer en le faisant passer pour l'ancienne reine.

— C'est assurément un don des dieux, dit Huy, sentant l'énergie lui revenir. Où est-il ?

— Sur le Fleuve. On le fait descendre de la capitale du Nord.

— Mais qui ?...

— Il vaut sans doute mieux que Ankhsi l'ignore, recommanda Ay, l'air solennel. C'est la petite Sétépenra.

— Comment est-ce arrivé ?

— On ne le sait pas exactement. Une morsure de serpent, probablement. Elle était dans le jardin du palais quand soudain elle a crié et s'est écroulée. Les médecins ont été convoqués sur-le-champ, bien entendu. Mais lorsqu'ils sont arrivés, il était trop tard.

— Quand cela s'est-il produit ?

— Un pigeon voyageur a apporté le message hier, peu après que le soleil eut dépassé son zénith. J'ai dépêché un courrier à cheval vers le nord afin d'en savoir plus, mais en même temps nous avons renvoyé un pigeon avec ordre de placer la dépouille de la princesse sur un vaisseau-faucon pour faire route jusqu'ici. Mes gens iront à sa rencontre en aval de la cité et la rapporteront la nuit venue. J'espère qu'à présent tu apprendras à me faire confiance, Huy. Je crois t'avoir remboursé ma dette. »

Huy était songeur. Si la mort de Sétépenra était véritablement un accident, elle survenait à point nommé. C'était la sixième fille d'Akhenaton, de deux ans la cadette d'Ankhsenamon avec laquelle elle présentait une forte ressemblance, dans les traits et la silhouette.

« Comment ton autre petite-fille se porte-t-elle, dans la capitale du Nord ?

— Quelles réserves as-tu encore à formuler ? dit Ay, qui le regarda attentivement puis esquissa un mince sourire. J'ai eu tort de te proposer les archives. C'est le poste de Kenamoun que j'aurais dû t'offrir. Mais je crois que tu y serais trop habile pour ma tranquillité. »

Il s'interrompit pour répondre à la question d'un des secrétaires qui rédigeaient les ordres, puis attira Huy à l'écart de la foule, près d'une grande fenêtre d'où l'on avait vue sur le grand temple d'Amon.

« La princesse Néfernéferoura quittera bientôt la Terre Noire. Je suis depuis longtemps en pourparlers, par l'entremise du vizir de la capitale du Nord, avec le roi Bourrabouriash du pays des Deux Fleuves. Une alliance avec eux constituera un rempart contre les Hittites. La princesse va épouser le fils du roi.

— Ainsi, on a disposé du sort de toutes les filles survivantes d'Akhenaton.

— Nul d'entre nous n'aime s'en remettre au hasard, dit Ay d'un ton badin, et, sans attendre de réponse, il retourna au centre de la salle. Au fait, voici Kenna, lança-t-il par-dessus son épaule en désignant un des secrétaires. Dorénavant, c'est avec lui que tu seras en liaison. »

Le secrétaire, un homme d'une trentaine d'années au visage intelligent et aux cheveux coupés ras, regarda Huy sans sourire et lui adressa une brève inclination de tête.

Ay tint parole. Il trouva même un prétexte pour que Senséneb quitte le quartier des médecins et vienne au palais sans éveiller les soupçons de Mérinakhté, en la convoquant pour la consulter sur les préparatifs en vue des funérailles de son père, qui auraient lieu peu après celles du roi. En tant que chef des médecins, il serait enseveli en un site honorifique, à la lisière de la Vallée. Le corps de la petite princesse fut porté secrètement dans une pièce du rez-de-chaussée du palais de Ay. Là, Senséneb appliqua le peu de maquillage et de teinture nécessaires pour faire de la jeune défunte le sosie de sa sœur. Une fois vêtue d'une des tenues de la reine, la métamorphose fut totale. Dissimuler son identité à Ankhsenamon fut un problème que la reine résolut d'elle-même en déclarant qu'elle ne voulait pas voir le corps qui reposerait à sa place. Elle offrirait des prières pour la traversée de son âme à Thot et à Osiris, à Isis et à Nephtys.

« Comment va ta blessure ? demanda Senséneb quand ils se retrouvèrent chez lui.

— Douloureusement. »

Elle sourit, l'examina du bout des doigts.

« Les points de suture devraient rester en place trois jours de plus, mais je pense que tu as assez bien cicatrisé pour que je te les enlève avant mon départ. »

Sa voix faiblit en prononçant ces derniers mots.

« Sois forte, lui dit-il tandis qu'elle lui prenait la main.

— J'essaie. Mais mon cœur me dit que je ne te reverrai jamais.

— Je te suivrai dès que j'aurai la certitude que Ay ne projette pas d'envoyer ses hommes à ta poursuite.

— Il a donné sa parole. »

Il sourit sans mot dire.

« Le navire est prêt ? demanda-t-elle.

— C'est un voilier léger, de la flotte de Taheb, qui convoie du papyrus depuis le Delta. Le papyrus sera livré à Soleb, mais le capitaine a ordre de pousser jusqu'à Napata.

— Est-il digne de foi ?

— La propriétaire du bateau est loyale envers la reine. Quant au capitaine, de l'or l'attend à Napata, pour son usage personnel.

— Quand tout cela sera fini, je ne veux plus jamais vivre d'aventures », dit-elle avec un sourire triste.

Mais Huy ne souriait pas. Il la regardait d'un air grave.

« Il y a autre chose.

— Encore ? dit-elle, effrayée.

— Si, pour une raison quelconque, en arrivant à Napata tu ne te sens pas en sûreté, tu dois emmener la reine avec toi et poursuivre jusqu'à Méroé. Aucun espion de la capitale du Sud ne te suivrait aussi loin, et à l'extrême sud certains sont restés fidèles à la lignée d'Akhenaton. Ils protégeront sa fille. »

Senséneb fut prise de vertige. Elle ne voulait pas aller à Méroé. Tous ses instincts de citadine s'y opposaient. Au moins, Napata était encore une ville de la Terre Noire, appartenant distinctement au sud de l'Empire. Méroé se trouvait aux confins les plus extrêmes, plus loin de la capitale du Sud que la Grande Verte au septentrion. Intérieurement, elle résolut qu'il faudrait un danger considérable pour qu'elle se cache aussi loin, et elle doutait qu'Ankhsenamon fût enthousiaste à l'idée de s'y rendre ; mais elle préféra se taire. Son cœur lui disait qu'elle s'embarquait dans une aventure si folle qu'elle le regretterait le reste de sa vie.

« Quand partons-nous ? demanda-t-elle, sachant qu'il était désormais trop tard pour reculer.

— A l'aube.

— Si tôt ?

— Oui.

— Mais... Et nous ?

— Le temps presse. La dépouille de la princesse Sétépenra sera portée aujourd'hui même au palais royal. La reine y restera jusqu'à la nuit, puis embarquera sur le quai sud. Tu dois rentrer chez toi, mettre Hapou au courant, empaqueter ce dont tu as besoin et, dès qu'il fera sombre, tu viendras me rejoindre ici. Nous devons nous comporter comme si c'était un jour ordinaire.

— A quelle heure dois-je venir, ce soir ?

— Dès que cela sera sans danger.

— Mais si je ne pars qu'à l'aube, à quoi passerons-nous le temps ?

— A sceller notre union », dit Huy, et il l'embrassa.

Tandis que le soleil passait de la barque *matet* à la barque *seqtet*, l'appréhension de Senséneb cédait la place à l'animation. Avec l'aide d'Hapou, elle avait empaqueté ses affaires dans un sac en cuir, et constatait qu'il lui fallait très peu de chose. Toutefois, elle se demanda ce que la reine pourrait emporter, et jugea alors préférable de prendre un peu plus que le nécessaire.

Son *ka* la devançait ; elle commença à se demander à quoi ressemblerait la maison à Napata. Elle ne l'avait pas vue depuis l'enfance, et elle songea au couple qui en avait toujours assuré la garde. Elle avait envoyé une lettre pour les aviser de son arrivée en compagnie d'une amie. Ils ne reconnaîtraient pas la reine. Comment réagiraient-ils en la voyant adulte ? Quelles questions lui poseraient-ils sur sa vie ? Oserait-elle leur dire que son mari les rejoindrait plus tard, et par ce mensonge plein d'espoir tenter le courroux des dieux ? Elle s'aperçut enfin que son seul regret était de partir sans Huy. Quitter la capitale du Sud ne lui causait absolument aucune tristesse.

Elle venait de donner des ordres à Hapou sur les dispositions à prendre concernant la petite ménagerie de son père, qu'elle ne laisserait certainement pas à la merci de Mérinakhté, quand le médecin apparut en personne. Son cœur battit si vite que sa poitrine lui fit mal, son ventre se noua et la tête lui tourna. Mais comme il ne semblait se rendre compte de rien, elle supposa qu'elle était maîtresse d'elle-même en apparence.

Mérinakhté s'était apprêté avec soin. Il avait passé de l'ocre sur ses joues et souligné ses yeux au kohol. Il portait un pagne de dessus plissé, à motifs entrecroisés, noué sur le côté et maintenu par une ceinture frangée, sur un pagne long jusqu'au mollet. Sa tunique avait des manches ouvertes à plis.

« Où vas-tu ? lui demanda-t-elle.

— Je suis heureux que tu remarques mes efforts, dit-il avec un petit sourire triste. Je ne vais nulle part. Je suis venu présenter mes excuses. Ce que je t'ai dit était cruel. J'implore ton pardon et te demande d'accepter ce présent. »

Elle sonda ses yeux gris, indéchiffrables. Elle remarqua avec inquiétude qu'il examinait la pièce où Hapou l'avait fait entrer. Verrait-il les signes de son départ ?

« Je serais venu plus tôt mais ton portail était toujours fermé à clef. T'es-tu absentée ?

— Non. J'étais occupée, c'est tout.

— Voici. »

Il lui tendit une fiole de verre ouvragé, orné d'un motif bleu et blanc de rubans entrelacés. La base et le sommet étaient en or repoussé ; le bas était ciselé de manière à figurer des vagues, et le couvercle représentait un triton soufflant dans une conque.

« Cela vient de Kheftiou. Un onguent parfumé au lait de sirènes. »

Elle ne voulait pas éveiller son hostilité. La fiole était lourde. Le verre dont elle était faite devait être très épais. Elle souleva le couvercle et libéra un délicieux parfum.

« N'en mets pas tout de suite, dit-il très vite. Ce serait dommage de le gaspiller. »

Un faible avertissement résonna dans son cœur, mais elle l'imputa à la répulsion que Mérinakhté avait toujours fait naître en elle. Pourtant il semblait un autre homme, d'une parfaite sincérité. Était-il possible que son *ka* divisé eût enfin trouvé le chemin de l'unité ?

Elle se borna à le remercier. A son vif soulagement, il se tourna pour partir.

« Je dois me rendre à la Maison de Vie. Je voulais faire la paix avec toi.

— C'est fait.

— Bien. Quant à mon offre, reprit-il après une hésitation, elle tient toujours. Le lien d'amour est bien présent, en ce qui me concerne.

— Je suis navrée.

— Eh bien, si tu changes d'avis... Un temps viendra peut-être où tu seras heureuse d'en avoir la possibilité. »

## 12

Seul dans sa salle de travail, Ay regardait le soleil se coucher et le crépuscule tomber sur le temple d'Amon. Le Grand Prêtre ferait en sorte que le dieu manifeste son approbation à l'avènement du nouveau pharaon devant le peuple, deux jours plus tard. Peu après, Ay n'aurait plus de rival dans la capitale du Sud. La petite Ankhsi serait partie, et le général Horemheb conduirait cinq vaisseaux et cinq autres régiments jusqu'au Delta, où il prendrait le commandement en chef de l'armée du Nord. Parmi les soldats qui l'accompagneraient, Ay avait placé Kenna et quatre autres agents sur qui il savait pouvoir compter. Horemheb avait accepté sa proposition d'aller au nord avec une facilité déconcertante, et Ay n'avait pas la stupidité de croire qu'il ne tirerait pas profit de l'armée s'il le pouvait.

Mais mieux valait qu'il fût là-bas qu'ici à comploter. Plus le général restait dans la capitale du Sud, plus Ay risquait de voir son autorité sapée. S'il avait le champ libre, il lui serait plus aisé de resserrer ses liens diplomatiques avec le pays des Deux Fleuves, le Mitanni et les peuples résidant au sud de la Terre Noire. Ay projetait de lever une armée capable de résister à n'importe quelle manœuvre de Horemheb, si leur conflit précipitait l'Empire dans la guerre civile. Mais il espérait que l'on n'en arriverait pas là. Peut-être Horemheb tomberait-il sous une lance hittite. Quels que fussent ses défauts, c'était un homme d'une grande bravoure qui s'élançait toujours au combat à la tête de ses troupes. Et si les Hittites restaient impuissants, une flèche décochée par Kenna y remédierait peut-être. Ay eût été le dernier à refuser à Horemheb une mort honorable et des funérailles nationales, pourvu qu'il réussît à l'envoyer vers les Champs d'Éarou. Un simple assassinat était tellement moins coûteux qu'une guerre civile !

Restait à régler la question de sa succession. Il avait finalement abandonné l'idée d'épouser Ankhsenamon, c'est pourquoi il la laissait partir si aisément. Une fille du Grand Criminel, après tout, ne recueillerait pas la bénédiction sans réserve des puissants prêtres. Ses pensées s'orientaient vers une princesse d'un des pays du Nord-Est. Le monde changeait. La Terre Noire ne pouvait plus régner seule, pouvoir suprême. La survie résidait dans la compréhension de cette réalité.

Il faisait noir, dehors, et la chaleur douce et apaisante caressait son visage. Il jouissait avec délices du calme qui suit la victoire. Il pensa au petit voilier fourni par Taheb, amarré sur le quai sud. Bientôt Ankhsi embarquerait et à l'aube, avant même qu'il se fût réveillé, elle serait partie. Il avait envoyé des agents à Napata pour la surveiller, mais il doutait qu'elle représentât un nouveau souci.

Il tiendrait ses promesses. Il regrettait de ne pas avoir le temps de préparer des funérailles fastueuses à Toutankhamon, car cela eût incontestablement été à son crédit. Mais son droit d'accomplir l'Ouverture de la Bouche était désormais inaliénable. Horaha serait également inhumé conformément à sa dignité. Ay craignait les morts. Il était trop proche d'eux pour les braver.

Quant à la petite Sétépenra, elle s'en irait elle aussi glorieusement vers Osiris. Sans nul doute, Horemheb s'abuserait au point de la prendre pour la reine : il souhaitait sa mort et ne chercherait pas la ruse dans une circonstance qui tournait à son avantage. Peu après l'aurore, un serviteur la découvrirait. Kenna serait chargé de l'enquête officielle, et Mérinakhté déclarerait qu'elle était morte de douleur à cause du décès de son époux.

Ay huma l'air nocturne avec plaisir. Tout était parfait.

Senséneb était prête. Elle s'efforçait de respirer calmement mais elle ne trouvait pas la paix. Pour la dernière fois, elle fit le tour de la maison qui avait si longtemps été son foyer et qui évoquait son père à son cœur. Elle souffrait, toutefois la pensée de ce qui l'attendait ne lui permettait pas de s'appesantir sur sa séparation d'avec tout ce qu'elle connaissait, tout ce en quoi elle avait cru, pensant stupidement que rien ne changerait jamais.

Hapou s'apprêtait à l'accompagner dans le quartier du port. Quand il suspendit les deux sacs sur son épaule et ouvrit la porte, l'air nocturne entra comme si la vie lui faisait signe. Elle ne put retenir ses larmes.

« Attends ! »

Elle avait besoin d'un prétexte pour rester un moment encore. Lorsqu'elle serait avec Huy, lorsqu'elle serait en chemin, tout irait bien. Mais c'était cet instant si bref, entre l'ancienne et la nouvelle vie, qui était difficile à passer. Elle regarda la pièce pour la dernière fois.

Elle n'avait aucune intention d'emporter avec elle le présent de Mérinakhté et avait dit à Hapou de le lui rendre sitôt qu'elle serait loin. Mais elle contempla la fiole bleue sur l'étagère. Du lait de sirènes. Son parfum lui avait paru merveilleux. Et si elle en mettait un peu ? Pour Huy, elle voulait être d'une beauté enchanteresse.

Ce serait leur dernière nuit ensemble avant une séparation dont elle ne pouvait deviner la durée. Elle jeta un coup d'œil à Hapou, traversa la pièce et prit la fiole. Elle la déboucha et l'odeur irrésistible monta une fois encore à ses narines. Elle la posa sur la table pour ôter ses bagues.

« Le temps presse, dit Hapou, les larmes aux yeux.

— Je fais vite. »

Elle passerait juste un peu d'onguent sur ses joues et sur son cou, pensa-t-elle.

Soudain un des deux chats qui appartenaient au petit zoo de Horaha — un gros matou tigré à gorge blanche — entra comme une flèche. Il bondit sur la table et, la tête et la queue dressées, avança vers Senséneb en ronronnant. Son attention fut distraite par la fiole parfumée. Il en approcha son nez sensible pour la renifler délicatement. Alors, d'un coup de patte décidé, il la renversa. L'épais liquide blanc qu'elle contenait se répandit sur la table. Le chat sauta par terre et disparut.

Senséneb redressa la fiole et, seulement alors, remarqua avec horreur le bois corrodé. Son cœur se refusait à admettre ce qu'elle voyait. Elle fut ramenée à la réalité par la voix calme d'Hapou.

« Je le tuerai, dit-il. Maintenant, tu dois venir. »

Huy pensait avoir dormi profondément, mais pas plus d'une heure. Il n'était pas sûr que de son côté elle eût dormi. Au début, après son arrivée, elle s'était montrée brillante, étourdissante, ce qu'il avait mis sur le compte de la surexcitation. Elle n'était devenue grave qu'en disant adieu à Hapou, qui était reparti immédiatement, refusant de s'attarder. Ensuite elle avait ôté les points de suture. Il n'avait ressenti aucune douleur.

Huy, qui vivait seul et sans serviteur, avait préparé un repas de canard et de *foul*, cependant ils avaient bu et mangé frugalement. Il regardait Senséneb, se demandant ce qu'elle lui cachait.

Elle restait complètement immobile, les genoux ramenés contre le menton, pensive. Huy ne la dérangea pas. Il avait envie de l'enlacer, de la réconforter, d'ajouter la force de son cœur au sien, mais il savait qu'elle ne voulait pas encore qu'on la touche. Quand elle serait prête, elle le lui dirait. Bien que ce fût seulement la troisième heure de la nuit, l'aube semblait très proche, et sa menace leur ôtait à tous deux la paix de l'esprit.

« C'est pire pour la reine, dit-il enfin. Elle, elle est toute seule. »

Senséneb l'observa. Devait-elle lui raconter ce qui s'était passé ? Elle avait ordonné à Hapou de n'en rien faire. A quoi bon ajouter ce fardeau sur ses épaules ? Il avait tant de sujets de préoccupation ! Bientôt, elle serait en lieu sûr. Elle s'inquiétait davantage de la sécurité d'Hapou. Quand Mérinakhté saurait que sa vengeance avait échoué, à quoi sa folie le mènerait-elle ? Croyait-il réellement qu'une fois défigurée, elle l'aurait accepté ?

« Je sais », dit-elle enfin, et tandis qu'ils s'enlaçaient elle éprouva un soulagement si doux qu'elle s'étonna d'avoir résisté si longtemps.

Ils ne firent pas l'amour, mais leur plaisir d'être enveloppés dans la joie de leur chaleur mutuelle ne fut pas moins grand. Il enfouit son nez et ses lèvres dans les cheveux sombres, sentit le crâne au contour délicat, et l'embrassa doucement. Ils restèrent longtemps ainsi, tandis qu'au-dehors tout son s'effaçait. Alors il devait avoir dormi. Plus tard, le panneau sombre encadré par la fenêtre commença à s'éclaircir, si lentement au début que Huy crut à une illusion ; mais sur la rive du Fleuve retentit l'appel lointain d'un oiseau.

« Viens », dit-il.

L'aube est une heure bien triste pour se séparer, pensa-t-il en ramassant les sacs de Senséneb et en la suivant dans la rue silencieuse. Y avait-il une heure qui ne le fût pas ? Mais la pire était l'aube.

Ils se mirent en route, à pied et en silence, vers le quai sud. Le seul bruit était celui de leurs sandales sur le sol. Chacun sentait qu'ils auraient dû avoir une multitude de choses à se dire ; pourtant pas un seul mot ne leur venait. Ce fut un soulagement quand ils virent devant eux la lanterne jaune du bateau. Une ombre se détacha d'un mur et vint à leur rencontre, prenant la forme d'un homme.

« Nous devons appareiller immédiatement, dit le capitaine. La reine et ses serviteurs personnels sont à bord. Dame Taheb nous accompagne, précisa-t-il à l'adresse de Huy.

— Sait-elle que je suis ici ?

— Non.

— J'irai la saluer quand nous ne serons plus pressés par le temps. »

L'homme hocha la tête. Huy prit Senséneb par la main. Elle le regarda intensément.

« On croit avoir tout le temps au monde, et soudainement il s'est enfui. Au revoir.

— Au revoir. Ne t'attarde pas. Je viendrai bientôt te retrouver.

— Le danger est si grand ! Ne meurs pas, dit-elle, pleurant sans bruit.

— Je te le promets.

— Tu me manques.

— Tu me manques aussi. »

Huy la regarda emprunter la passerelle à la suite du capitaine et monter sans se retourner sur le bateau sombre qui se balançait sur les eaux rouges du Fleuve en crue. Il les regarda larguer les amarres, il regarda la voile hissée s'enfler au vent et le navire luisant s'engager dans le courant. Il regarda jusqu'au moment où le bateau ne fut plus qu'un point minuscule sur le Fleuve large comme la mer.

« Quelle scène touchante ! » railla derrière lui une voix aussi sèche que le sable, aussi solitaire que le désert.

Huy se tourna pour voir la silhouette dégingandée de Mérinakhté appuyée au coin d'une remise. Il faisait presque jour, mais aucun autre vaisseau n'était ancré sur le quai sud. Ils étaient seuls. L'ombre de Mérinakhté s'allongeait jusqu'au bord de l'onde.

« Elle n'a pas mis mon onguent pour se faire belle pour toi, dit la voix avec un regret détaché.

— Je ne comprends pas. »

La tenue élégante du médecin était un peu débraillée, l'ocre et le kohol avaient coulé sur son visage. Il semblait fatigué, mais posait sur Huy un regard dur.

« Alors peut-être comprendras-tu ceci ! »

Le brusque hurlement de rage prit Huy à l'improviste, mais même pour un homme de sa taille et de sa vivacité, Mérinakhté avait une trop grande distance à parcourir pour que la première attaque fût payante, et les scalpels en bronze qu'il avait à chaque main ne rencontrèrent que le vide. Il fit aussitôt volte-face, respira un grand coup, mais il y avait cette fois de la peur sur son visage, en plus de la fureur. A moins de tuer Huy, nettement et proprement, il venait par ce seul geste de mettre fin à sa carrière. Ses pensées n'allaient pas plus loin. Il avait depuis longtemps dit adieu à la raison et sacrifié l'ambition à la vengeance. Il ne voyait plus que du sang tandis que ses yeux se concentraient sur sa proie. Il leva les bras pour frapper, serrant le manche des instruments effilés telles des griffes. Huy s'était lui aussi retourné et cherchait désespérément une arme, profitant de ces quelques secondes de répit avant que Mérinakhté ne revînt à l'attaque. Le quai était vide. Il n'y avait pas même un espar de bois sur le sol. S'il se servait de son propre coutelas, il lui faudrait en venir au corps à corps avec le médecin, idée qui ne lui souriait pas. Mais il le tira de la gaine qu'il gardait dans le dos, passée dans sa ceinture.

La vue d'une arme dressée contre lui arrêta Mérinakhté en pleine attaque et il baissa les bras, sifflant comme un serpent. Ramassé sur lui-même, il tourna autour de Huy, guettant l'occasion de porter un coup avant que celui-ci eût une chance de se servir de son coutelas. Huy recula, pris entre son adversaire et l'eau. Même au bord de la rive, le courant était très rapide. Seul le plus puissant des nageurs pourrait éviter d'être emporté.

C'est alors qu'il remarqua la corde, une lourde amarre enroulée en boucle lâche à côté de l'anneau de bronze auquel elle était attachée. Il releva vivement la tête pour voir si Mérinakhté l'avait aperçue, mais le médecin ne le quittait pas des yeux. Progressivement, Huy recula jusqu'à ce que le cordage fût à sa portée. Puis il posa un genou à terre et supplia :

« Ne me tue pas ! »

Poussant un cri de triomphe, Mérinakhté chargea. Huy s'empara de la corde et la projeta vers les jambes de son agresseur, qui s'y prit les pieds et trébucha. Il tomba en avant de tout son poids. Les lames des scalpels résonnèrent au contact du quai. Le choc avait été violent, et le sang jaillit sur le visage du médecin, qui s'était cassé le nez. Huy s'élança, mais déjà Mérinakhté se relevait, vacillant.

La seule idée que Huy avait au cœur était de tuer cet homme ; il se voyait le saisir par le poignet et la ceinture pour le précipiter dans le Fleuve.

Néanmoins, les morts avaient été trop nombreuses. Huy hésita. Avant que Mérinakhté eût pu reprendre ses esprits, il posa ses pouces derrière les oreilles du médecin et pressa jusqu'à ce que l'homme s'évanouisse. La justice de Ay serait plus cruelle que la noyade, mais Huy était trop lâche pour prendre une autre vie. Entendant des cris, il redressa la tête et vit approcher trois jeunes débardeurs effrayés. Par terre, autour des reins de Mérinakhté, se formait une mare d'urine.

Ay monta sur le trône dans les derniers jours de la saison d'*akhet*, afin que le peuple fût libre de se livrer aux travaux des champs dès la fin de la crue. Cela coïncida avec l'annonce de grandes victoires remportées au nord par Horemheb sur les Hittites, ce qui donna aux habitants de la Terre Noire une seconde raison de se réjouir, car les conscrits reviendraient bientôt. Horemheb avait fait parvenir le message que, désormais, il n'y avait plus rien dont l'armée de métier ne pût venir à bout seule.

Le Grand Prêtre d'Amon fit grand cas de ces bonnes nouvelles, survenant au terme des somptueuses funérailles de Toutankhamon et de sa reine, pour lesquelles Ay avait fait revivre maints d'entre les anciens rites supprimés du temps du Grand Criminel. Les prêtres acclamèrent en lui celui qui avait enfin ramené la paix et la stabilité sur la Terre Noire, et lui prédirent, selon tous les présages, un règne long et heureux. La popularité que lui avait apportée ces dix jours de liesse à ses frais était indéniable, et dans les tavernes on parlait à nouveau de mariage, d'héritier, d'une nouvelle dynastie fondée autant sur la paix que la précédente l'avait été sur la guerre.

« Je croyais bien ne jamais revoir cette maison, soupira Senséneb en parcourant des yeux la pièce encombrée où le soleil faisait étinceler les particules de poussière suspendues dans l'air.

— Je croyais bien ne jamais revoir la capitale du

Sud », répondit Huy, contemplant son ancienne demeure avec les yeux d'un étranger.

Cela faisait-il seulement quatre-vingts jours qu'il l'avait quittée ? Pourtant, même le voyage de retour depuis Méroé, où ils avaient confié la reine au soin du gouverneur, semblait tel un rêve.

« Regrettes-tu d'être parti d'ici ? »

C'était une question à laquelle Huy ne pouvait répondre. Il était trop tôt pour le dire. Mais il ne pouvait décevoir l'espoir qui palpitait dans la voix de Senséneb. En très peu de temps, elle avait été séduite par la vie de campagnarde ; et il croyait toujours au lien d'amour qui les unissait.

« Non, dit-il enfin, mais c'est bon de revenir, et de voir que Ay a tenu parole.

— Oui. Le *ka* de mon père est en paix.

— Iras-tu dans le quartier des médecins ?

— J'irai voir Hapou, mais je ne retournerai pas sur les traces de mon passé. Je serais comme un fantôme revenant en des lieux que tous ceux qu'il a connus ont quittés. »

Le silence tomba. Huy pensa à Mérinakhté. Ay avait donné ordre de l'empaler, et Huy avait assisté à l'exécution. Il avait soudoyé les bourreaux afin qu'ils procurent au jeune médecin de l'alcool fort avant de le tuer. C'était un geste de miséricorde qu'il devait à son ennemi, car il savait qu'il aurait dû le livrer au Fleuve à l'issue de leur combat. Mais Mérinakhté avait refusé de boire, détournant la tête et les lèvres de la bouteille qu'on lui tendait, si violemment que pour finir les exécuteurs avaient renoncé. L'agonie avait été atroce.

Huy observa à nouveau la pièce, pour s'éclaircir le cœur et refaire connaissance avec ses anciennes possessions — les statuettes d'Horus et de Bès, les meubles usés, les rouleaux de papyrus dans leur niche.

Elles paraissaient appartenir à un autre. Peut-être était-ce vrai, en un sens.

« Que vas-tu faire de cette maison ? » voulut savoir Senséneb.

Huy s'était déjà posé cette question. La réponse dépendait de bien des choses. La chance d'une vie nouvelle au Sud s'offrait à lui, mais il répugnait à abandonner l'ancienne. Était-ce seulement dû à sa prudence naturelle ? Pour l'heure, il retournerait à Napata. Cela ne faisait aucun doute. Peut-être, une fois là-bas, la solution lui viendrait-elle. Peu importait le temps que cela prendrait, rien ne pressait. Ay lui avait même annoncé qu'il pouvait à nouveau exercer son métier de scribe. Mais alors que c'était enfin possible, l'insatisfaction s'agitait dans un coin de son cœur. Il formait intérieurement une certaine image de lui-même : un scribe de province, vivant sa vie auprès du Fleuve, sous le soleil du Sud. Perspective reposante, calme, peu mouvementée.

« Ipouky, le Maître des Mines d'Argent, m'a donné cette maison. Je lui demanderai conseil.

— Pourquoi te faut-il l'avis d'un autre ? »

Huy lui prit les mains. Il savait tout ce que cette maison signifiait pour lui, pourtant il ne voulait pas refuser cette chance de bonheur. Le bonheur ! Encore un mot dénué de sens précis. Une autre idée, à la fois si proche et si fuyante. Pour quelle raison était-il ainsi ? Devait-il lui demander d'échanger le serment quand il nourrissait encore de pareils doutes ? Elle s'y attendait pourtant.

Il regarda les yeux de Senséneb où le soleil se reflétait. Rê dans sa splendeur visitait jusqu'à ce petit coin de son monde à lui. Du port montaient les accords d'un groupe de musiciens et des vivats. Sous peu, la barque royale partirait avec sa suite vers la capitale du Nord, où le nouveau Dieu-Roi se rendait en visite officielle.

« Khéperkhépérourê sera-t-il le père d'une dynastie de paix ? demanda Senséneb, d'une voix qui trahissait son désarroi devant le silence installé entre eux.

— Qui peut le dire ? »

Ils étaient ensemble, front contre front, se tenant par les épaules, ne se souciant, après tout, ni du règne de Ay, ni des victoires de Horemheb, de rien d'autre dans le monde à venir que leur propre destin.

Huy reprit son souffle et lui posa la question.

ACHEVÉ D'IMPRIMER SUR LES PRESSES
DE COX & WYMAN LTD. (ANGLETERRE)

N° d'édition : 2646
Dépôt légal : mai 1996
*Imprimé en Angleterre*